Não é preciso dizer adeus

Setembro 2006

ALLISON DUBOIS

Não é preciso dizer adeus

A história real que inspirou a série de TV
MEDIUM

SEXTANTE

Publicado originalmente com o título: *Don't Kiss Them Good-bye*

tradução
Beth Olinto

preparo de originais
Regina da Veiga Pereira

revisão
Sérgio Bellinello Soares
Sonia Peçanha
Tereza da Rocha

projeto gráfico e diagramação
Valéria Teixeira

capa
Raul Fernandes

fotolitos
RR Donnelley

impressão e acabamento
Bartira Gráfica e Editora S/A

CIP-BRASIL. CATALOGAÇÃO-NA-FONTE
SINDICATO NACIONAL DOS EDITORES DE LIVROS, RJ

D879n DuBois, Allison
Não é preciso dizer adeus / Allison DuBois; tradução de Beth Olinto. – Rio de Janeiro: Sextante, 2006.

Tradução de: Don't kiss them good-bye
ISBN 85-7542-217-0

1. DuBois, Allison. 2. Médiuns – Estados Unidos – Biografia. I. Título.

CDD 920.913391
06-1147. CDU 929.133.9

Rua Voluntários da Pátria, 45 – Gr. 1.404 – Botafogo
22270-000 – Rio de Janeiro – RJ
Tel.: (21) 2286-9944 – Fax: (21) 2286-9244
E-mail: atendimento@esextante.com.br
www.sextante.com.br

Dedicatória

Este livro é dedicado aos pais. Há pouco tempo me dei conta da importância valiosa dos pais. Tive o privilégio de conhecer quatro homens extraordinários que morreram em 2002.

Meu pai, Mike Gomez, que eu adorava e de quem vou sentir saudade até o fim dos meus dias. Não foi um pai típico. Quando eu tinha nove anos, ele começou a me dar cremes faciais para prevenir contra as rugas de envelhecimento. Valeu, pai! Ele merecia todo o meu amor. Morreu aos 67 anos, mas, no fundo, não passava de uma criança obstinada. Sei que ele vai dançar para sempre entre as estrelas com as mais belas damas. Ninguém riu ou viveu tão intensamente quanto meu pai.

Meu grande amigo Randy morreu sete meses depois do meu pai. Era o rei dos frutos do mar e meu cético preferido. Randy sempre se empenhava para que todos se divertissem. Como meu pai, ele também morreu de um ataque cardíaco, só que tinha apenas 49 anos. Partiu deixando três filhos maravilhosos e uma esposa que compartilhava seu espírito vibrante.

Meu tio-avô, Don, de humor sarcástico, foi delegado e piloto na Segunda Guerra Mundial. Morreu aos oitenta anos e fez seu último vôo em janeiro de 2002.

Russ Serzen, um ex-ianque de Nova York e avô em tempo integral. Eu o conheci pouco e ele partiu inesperadamente, vítima de uma doença cerebral incurável. Russ me marcou muito e mereceu minha admiração.

Todos esses homens viveram intensamente e não se desculparam por suas personalidades. Foram todos inspiradores e grandes pais.

Sumário

Prefácio

Gary E. Schwartz, Ph.D.
Laboratório de Sistemas de Energia Humana
Universidade do Arizona

Há pessoas que possuem dons e, algumas vezes, elas próprias são dádivas. Allison DuBois não é simplesmente uma médium, mas uma dádiva extraordinária para os outros. Da mesma forma que se dedica ao marido, aos filhos e amigos, ela oferece seus dons a clientes que buscam sua ajuda e aconselhamento como médium e sensitiva.

Como cientista que investiga a possibilidade de sobrevivência da consciência, testemunhei realizações de Allison que anteriormente considerava impossíveis. Ela consegue o aparentemente irrealizável de uma forma delicada, tranqüila, gentil e compreensiva, provocando um sorriso nos rostos e proporcionando alegria aos corações.

Antes de conhecer Allison, eu havia realizado pesquisas com um grupo de médiuns excepcionalmente dotados. Em meu livro *The Afterlife Experiments: Breakthrough Scientific Evidence of Life After Death* (Experimentos da vida após a morte: descoberta cientificamente comprovada da vida após a morte), comento uma série de experimentos com John Edward de *Crossing Over* (Travessia), George Anderson, Suzanne Northrop, Laurie Campbell e Anne Greymen – pessoas que descrevo como os Michael Jordans da mediunidade. Após trabalhar com Allison, para mim ficou evidente que ela faz parte desse primeiro time de médiuns.

Devo confessar que Allison ocupa um lugar especial em meu coração. Isso porque, por coincidência, a conheci apenas dois dias após o falecimento de minha avó adotiva, Susy Smith, que morreu repentinamente de um ataque cardíaco fulminante. Eu adorava Susy e não estava preparado para a sua morte repentina.

Susy tinha 89 anos, escreveu trinta livros sobre parapsicologia e sobrevivência da consciência após a morte e participou com êxito de algumas de nossas primeiras pesquisas sobre mediunidade no Laboratório de Sistemas de Energia Humana da Universidade do Arizona. Isso está descrito em *The Afterlife Experiments*. Susy dedicou os últimos 45 anos de sua vida à questão "A vida após a morte é real?". De fato, ela mal podia esperar por sua própria morte para provar cientificamente que ainda se encontra aqui.

Quando Susy morreu, meu cargo de cientista foi expressivamente ampliado. Deixei de ser simplesmente um estudioso sênior dedicado a experimentos para me tornar um pesquisador da mediunidade (que estuda o destino dos entes queridos falecidos).

Como conta Allison no último capítulo, "A ciência e o outro lado", em nosso primeiro encontro perguntei se ela poderia receber alguma notícia a respeito de uma pessoa muito próxima falecida recentemente. Não dei qualquer informação sobre a idade, o sexo ou o grau de relacionamento que eu mantinha com essa pessoa, e procurei não demonstrar qualquer reação – gestual ou verbal – enquanto ela me transmitia as mensagens que recebia de minha avó.

Allison recebeu informações significativas e concretas sobre Susy, inclusive o motivo de sua morte, seus sonhos para a vida após a morte (por exemplo, seu desejo de estar junto de seu cachorrinho já morto, Júnior) e, principalmente, uma mensagem para mim sobre sua libertação da incapacidade física. Allison disse: "A pessoa falecida está repetindo várias vezes que devo transmitir o seguinte: 'Eu não ando sozinha.'" Por que estas quatro palavras são tão importantes? Porque indicam que Susy – que estivera presa a uma cadeira de rodas nos últimos dez anos de sua vida –, além de não estar só, agora é capaz de andar. De fato, ela não cansava de repetir que gostaria de dançar após a morte, assim que se desprendesse de seu corpo dolorido.

Nas muitas sessões seguintes, Allison revelou que Susy está viva e muito bem no outro lado. Nossa pesquisa continua, não só abrangendo três gerações – Susy, Gary (eu) e Allison – como os dois lados do universo de energia viva: aqui e lá. O que importa para mim é que Allison tem um compromisso com a verdade. Ela sabe que sua integridade pessoal, a integridade do Laboratório de Sistemas de Energia Humana e a integridade do trabalho que representa dependem de uma honestidade absoluta que pressupõe humildade.

O texto de Allison reflete sua personalidade: clara, humana, inteligente e bem-humorada. Espero que este livro alimente suas esperanças e seus sonhos como fez comigo. Allison, somos gratos a você por compartilhar conosco esse dom extraordinário.

~

GARY E. SCHWARTZ, Ph.D., é professor de psicologia, medicina, neurologia, psiquiatria e cirurgia, além de diretor do Laboratório de Sistemas de Energia Humana da Universidade do Arizona. Ele obteve seu Ph.D. em psicologia da personalidade em Harvard, em 1971. Após ali ensinar por cinco anos, tornou-se professor de psicologia e psiquiatria em Yale, diretor do Centro de Psicofisiologia de Yale e co-diretor da Clínica de Medicina Comportamental de Yale. Ele se mudou para o Arizona em 1988. Co-editou 11 livros acadêmicos; publicou mais de quatrocentos artigos científicos, sendo seis no periódico *Science*, e foi co-autor de dois livros, *The Living Energy Universe* e *The Afterlife Experiments*. Sua atual pesquisa sobre medicina da energia e sobrevivência da consciência já foi divulgada na televisão, no rádio, em jornais e revistas. Entre suas aparições na televisão estão os documentários da HBO *Life After Life* (Vida após a vida) e *America Undercover* (América revelada), o especial da A&E *Beyond Death* (Além da morte), além de *Dateline, Nightline* (Linha de datas, Linha noturna) e *Good Morning, America* (Bom dia, Estados Unidos), no Discovery.

Introdução

Os que conhecem o seriado de TV *Medium* provavelmente já sabem que esse programa é baseado em fatos reais da minha vida. Para os que não conhecem o programa, escrevi este livro desejando compartilhar minha experiência como médium. A maioria das pessoas fica curiosa por conhecer minha capacidade de ver e sentir os fatos. E talvez o conhecimento sobre os médiuns provoque em você questionamentos sobre sua própria vida.

Eu os convido a percorrer minha vida para que entendam melhor como os acontecimentos fizeram de mim o que sou. Vou lhes oferecer um vislumbre de como pode ser a vida após a morte. Vou também mostrar como podem permanecer conectados aos seus entes mais queridos. Espero que este livro os ajude e inspire como muitos outros me inspiraram.

Aqui conto minhas experiências de criança para que os jovens médiuns esclareçam suas dúvidas sobre seus dons. Espero que elas ajudem a entender como uma criança dotada provavelmente sente e vê as coisas. Também desejo que elas indiquem a maneira como aqueles que convivem com essas crianças e jovens dotados podem ajudá-los a compreender e aceitar suas aptidões. A compreensão de nossos dons faz parte de nossa trajetória para nos tornarmos seres humanos iluminados. Quero que os leitores deste livro conheçam a vida de alguém com faculdades especiais. A capacidade de se relacionar com o desconhecido, ou pensar nele, já é meio caminho andado para o desenvolvimento das crenças espirituais. A oportunidade de experimentar concretamente esse relacionamento é a outra metade do caminho.

Sobre mim

Sou médium e traço perfis. Isso significa que prevejo fatos futuros, penetro na mente das pessoas, detecto problemas de saúde e consigo me comunicar com os mortos. É verdade, eu vejo os mortos.

Sempre desejei que alguém criasse um termo melhor do que "sensitivo" para descrever pessoas como eu. Essa palavra ficou contaminada por também referir-se a pessoas nem sempre muito sérias. Mas não importa. O que importa é que tenho o que chamo de dom.

Nasci no dia 24 de janeiro de 1972, em Phoenix, no Arizona. Tenho um irmão mais velho, Michael, que sempre implicou comigo. Meus pais se divorciaram quando eu era bebê, mas cresci consciente do amor dos dois por mim.

Desde bem pequena, soube que era uma criança diferente. Além do encontro com meu bisavô depois de seu enterro (que conto no capítulo "Uma menina pequena se depara com o outro lado"), houve muitas outras manifestações significativas do que estaria por vir.

Eu me identificava com personagens portadores de dons especiais. Seja a Tábata da *Feiticeira* ou a Tia de *A montanha enfeitiçada*, sabia que eu era tão diferente quanto elas. Sabia também que os adultos as consideravam tão excêntricas quanto eu me sentia. Assim como elas, eu tomava muito cuidado com o que comunicava aos outros, e compreendia por que os personagens da televisão ou do cinema escondiam suas aptidões.

Por volta dos meus dez anos, ouvi várias vezes, daqueles que vim a saber mais tarde que eram meus guias, que eu era singular. Eles me disseram que, quando eu fosse mais velha, afetaria profundamente a vida das pessoas. Na ocasião era difícil imaginar que um dia eu faria algo tão importante.

Durante toda a minha infância e adolescência fui visitada por meus guias de tempos em tempos. A identidade das vozes não era clara para mim, mas eu sabia que a fonte era boa e que vinha de um plano superior. Eu conseguia sentir a energia do visitante e, embora não ficasse assustada com sua presença, meu maior medo era não ser capaz de corresponder às suas expectativas.

Eu me perguntava continuamente: Por que eu? Eu me considerava uma menina comum, e meus pais eram divorciados. Achava a igreja chata. Minha mãe me obrigava a ir com ela aos domingos, e eu me indignava. Preferia conversar com os céus pessoalmente, quando estava sozinha. Eu me sentia bastante conectada a uma força superior e era sensível aos sentimentos dos outros em relação a isso. Tinha a impressão de que os adultos professavam uma coisa e praticavam outra, mas sabia que, se mencionasse essa contradição, seria repreendida.

Enchi meu quarto de bichinhos de pelúcia e bonecas, com o objetivo de me defender. Eu os enfileirava nas prateleiras, no chão, em todo lugar, para que preenchessem o espaço e formassem uma barreira entre mim e o desconhecido. Como eu era capaz de sentir muitas variações de energia ao meu redor e às vezes via aparições, meus brinquedos preenchiam o vazio físico, onde percebia a existência da energia. Os brinquedos também ajudavam a me acalmar. Eu tinha criado em minha mente uma explicação para a energia que experimentava. Deixei de olhar o espaço vazio e sentir como se uma energia desconhecida o ocupasse. Meus brinquedos passaram a ocupar esse espaço. As crianças, como os adultos, sempre encontram um jeito de lidar com as situações complicadas, em busca de alívio.

Passei minha juventude tentando me convencer de que era normal e fazendo tudo o que os amigos de minha idade faziam.

Ao longo dos anos 1980, participei de vários campeonatos de patinação. Gostava principalmente das raras ocasiões em que meninos e meninas competiam entre si. Eu adorava vencer os meninos.

A patinação também era uma forma de fugir do conflito entre minha mãe e o meu padrasto em casa. Quando eu tinha 12 anos, minha mãe e o homem que tive de chamar de pai por dez anos se separaram. Um ano mais tarde, eu o vi com sua nova família. Foi a última vez que o vi.

Dois anos depois, minha mãe se casou de novo, mas eu não me inseri na nova família. Um mês antes de completar 16 anos, já estava morando num apartamento com uma amiga do colegial. Lembro-me de rir de mim mesma, enquanto tomava uma cerveja, ao recordar que tinha dito à minha professora da sexta série que minha ambição era ir para Havard. Simplesmente ridículo, pensava. Na marcha em que ia, eu não chegaria nem a uma faculdade do bairro!

Minha adolescência foi difícil e solitária. Apesar de estar cercada de gente, eu me sentia muito só. Também tinha a sensação de atrair pessoas com energia negativa. Sempre me preocupo com os jovens que se destacam da multidão por terem uma luz interna que brilha externamente. Quando jovem, ouvia muito isso, e agora entendo. As entidades escuras são naturalmente atraídas pela luz e tentam manipulá-la. Uma entidade escura é capaz de ver uma entidade iluminada a dois quilômetros de distância. Infelizmente, as entidades iluminadas encontram muito mais dificuldade em identificar as escuras, mas com a experiência podem aprender a reconhecê-las e evitá-las.

Pense numa fotografia recente de uma pessoa próxima e compare-a com uma foto da mesma pessoa no passado. Há uma luz que brilha nos olhos do jovem, mas que freqüentemente é apagada com a idade. O segredo é garantir que sua luz permaneça brilhando com intensidade, porque ela é o reflexo de sua alma.

Não deixe que ela se apague, nunca. Conheço homens e mulheres de setenta anos que possuem a essência de pessoas de vinte. Estou decidida a reter para sempre a menina travessa dentro de mim.

Na noite em que conheci meu marido, ele jura que havia uma luz descendo sobre mim. Joe diz que isso provocou sua curiosidade e seu desejo de me conhecer. Achei que não passava de um paquera irritante. Mas Joe me ajudou a ser uma pessoa melhor. Ele me ensinou coisas que eu não admitia ouvir de outros havia muito tempo. A coisa mais importante que me ensinou é que existem pessoas confiáveis, com quem podemos sempre contar. Joe me ensinou a confiar.

Joe também me ensinou matemática e me incentivou a realizar meu sonho de entrar para a universidade. Apesar de todas as dificuldades, me formei em ciência política e em história pela Universidade Estadual do Arizona. Sempre tenho a sensação de fazer parte do grupo de pessoas para quem tudo dá certo. Vejo-me constantemente sendo impulsionada por uma força maior do que eu. Sinto-me grata por isso.

Durante o curso na universidade, recebi uma preciosa lição que me fez deixar de me lamentar da vida. Conheci uma moça cega, presa a uma cadeira de rodas, que tinha um cachorro como guia. Nunca a ouvi queixar-se, e seu exemplo me ajudou a tomar contato com o que eu tinha de positivo, em vez de me lastimar pelas faltas. Hoje tenho plena consciência de que a vida nos oferece continuamente uma série de lições importantes. Tudo o que temos de fazer é prestar atenção nas aulas.

De uma maneira geral, meus vinte anos foram ricos de experiências e bastante divertidos. Cometi erros, aprendi lições, conheci Joe, me formei na universidade, vivi a maternidade, fiz estágio na divisão de homicídios, produzi um vídeo sobre segurança e me sinto em contínuo desenvolvimento. Quando penso no que vivi até hoje, sinto muita gratidão e alegria.

Agora que já contei brevemente a minha história, vamos entrar na questão que me fez escrever este livro: minha mediunidade e o que aprendi com ela. Lembre-se de que os médiuns servem tanto aos vivos quanto aos mortos. Nós fazemos essa ponte. Se você alguma vez duvidou da existência de uma vida após a morte, espero que minha experiência o ajude a ver que de fato há um mundo inteiro do outro lado.

Capítulo 1

Uma canção

Olhei pela janela que dava para o quintal da minha casa. Meu olhar se fixou nas estrelas, depois se voltou para os meus brinquedos de menina.

– Papai, onde está você?

Procurei em todos os cantos do quintal.

– Consigo ver todo mundo; por que não vejo você? Não sei como você está agora! *Preciso* ver você.

Solucei como se minhas lágrimas pudessem me livrar do sofrimento. Mas, por mais que eu chorasse, a dor cruciante se recusava a ir embora.

Fiquei prostrada no sofá, observando a casa para a qual me mudara quatro semanas antes. A casa que me deixaria mais perto do meu pai. Mas eu nunca o veria entrar pela porta da frente, porque ele morrera de repente, em menos de 24 horas.

Dois dias antes, eu tinha conversado com Alison, a vizinha que conhecera ao me mudar. O pai dela recebera inesperadamente o diagnóstico de uma doença avançada no cérebro, e o prognóstico não era nada otimista. Era um homem maravilhoso, que tive o privilégio de conhecer.

Eu dissera a Alison: "Sei que é difícil ver alguma dádiva na doença de seu pai, mas gostaria de lhe dar um conselho. Conheço muitas pessoas que ficaram arrasadas por nao terem tido a oportunidade de se despedirem dos seus entes queridos. Ele ainda está vivo, e você tem a possibilidade de abraçá-lo, de ficar com ele, de dizer o quanto o ama e, quando chegar a hora, se despedir. Fale e faça tudo que você deseja agora. Como médium, posso entrar em contato com os mortos e tocá-los de alguma forma, mas não consigo mantê-los comigo nem segurá-los. Tome consciência da bênção que é poder despedir-se e dar amor."

Mais tarde, Alison e eu reconheceríamos o significado da nossa recente amizade.

Meu pai morreu no domingo de um fim de semana em que me diverti muito. No dia 20 de setembro de 2002 fui à Califórnia para o casamento de uma prima. Tudo contribuía para minha felicidade: o encontro com parentes e amigos e os dias de férias com Joe.

Na ida da igreja para o local da festa erramos o caminho e nos atrasamos um pouco. Ao entrar no salão, um conjunto de *mariachis* tocava *My Way*, a música favorita de meu pai. Estranhei um pouco, por não ser uma música comum num casamento e pelo fato de não constar normalmente do repertório dos *mariachis*. Naquele momento pensei em meu pai e esta frase me veio à cabeça: *"Quando meu pai morrer, vou tocar essa música no seu enterro."*

My Way é uma canção perfeita para o meu pai, não só por seu espírito livre, mas porque ele era um grande admirador de Frank Sinatra, que ouvíamos juntos. Meu pai usava um grande anel de diamante rosado e, quando fiz 17 anos, passei a usar um também para manter a identificação com ele. Eu o admirava porque ele fazia tudo com muito estilo.

A música também me trouxe à lembrança uma predição que eu fizera dois anos antes. Um dia, ao voltar de um almoço com papai, eu disse a Joe que tivera um pressentimento de que meu pai morreria aos 67 anos, de um ataque cardíaco fulminante. O presságio me perturbou, e passei a empreender uma cruzada para evitar que ele se confirmasse. No entanto, fui com uma amiga comprar o CD de Sinatra com *My Way*. Disse-lhe que era para o enterro do meu pai. Ao mesmo tempo que eu fazia planos para o seu funeral, tentava impedir que isso acontecesse. Meu pai foi submetido a uma série de exames do coração, e os médicos disseram que estava tudo bem.

Na festa, quando a música acabou, senti um mal-estar. "Deixa disso. Papai está bem", disse para mim mesma, enquanto rezava para que aquilo fosse verdade. Todos os cuidados possíveis tinham sido tomados.

Era sexta-feira, e eu tinha falado com meu pai na noite anterior, combinando um almoço assim que voltássemos. Senti saudade dele todo o tempo em que estive fora. Eu tinha me mudado havia três semanas para perto de sua casa, ansiosa por vê-lo com mais freqüência.

No domingo de manhã estávamos fazendo hora para pegar o avião de volta quando o telefone tocou e Joe atendeu. Logo depois do breve telefonema, ele olhou para mim e disse:

– Allison, seu pai morreu.

Senti como se meu corpo tivesse sido totalmente esvaziado de ar.

– Você quer dizer minha avó? Não pode ser o papai!

O olhar de Joe confirmou ser realmente ele. Senti um golpe no coração e uma total incapacidade de raciocinar.

Fiquei com muita raiva de Deus: "Você não pode levar meu pai! Fiz tudo o que você determinou que eu fizesse, sem hesitar, mas com a condição de que você não levasse meu pai!"

Eu tinha trinta anos e me sentia órfã. Minhas filhas não teriam avô, e talvez fossem pequenas demais para guardar qualquer lembrança dele. Eu apoiava e aconselhava os outros na tristeza, mas não conseguia me consolar. Fiquei vazia, não tinha *nada* para dar.

No vôo de volta, eu observava as pessoas rindo e conversando e queria gritar: "Parem! Meu pai morreu e o mundo deve parar!"

Mas as coisas não funcionam assim. Sei disso. Eu não conseguia deixar de ser passional. Em pleno sofrimento, me dei conta de que teria de tomar as providências para o enterro.

A morte é engraçada por despertar o melhor e o pior das pessoas. Ela ilumina a verdade e faz a vida ficar deslumbrantemente nítida. A realidade começava a se instalar. Fui pegar umas peças que meu pai costumava usar ultimamente, e coloquei no dedo o seu anel rosado ao lado do meu, onde ficará para sempre. Perdi a noção de tempo, de fome ou de qualquer outra ação cotidiana. Tudo estava embaralhado em um caos. Disse a Joe que não queria dormir, pois cada noite de sono me distanciaria mais de meu pai. Não podia deixar que ele se tornasse uma memória distante. Não sabia o que fazer e estava frustrada por não conseguir senti-lo, como sentia outras pessoas que haviam morrido.

No enterro encontrei meu primo Mike, xará de meu pai, e nos abraçamos. Mike me entregou uma fotografia incrível. Era do meu pai e do pai dele com os braços enlaçados no casamento do Mike, vinte anos antes. Seus sorrisos radiantes revelavam o quanto estavam se divertindo. O pai do Mike tinha morrido havia dez anos. Fiquei tão grata pela fotografia que entreguei a meu primo o relógio de ouro do meu pai. Era o seu preferido; tinha seu nome gravado e ele o usava diariamente.

– Papai gostaria que você ficasse com ele – eu disse.

Mike sorriu:

– Allison, foi meu pai que fez a gravação neste relógio. Estou reconhecendo o trabalho dele.

De repente senti ódio: "Estou no enterro do meu pai!"

Olhei para o vitral no teto da igreja e mais uma vez briguei com Deus: "Como pôde levá-lo num momento em que eu estava longe? Isso é injusto!"

Uma voz feminina suave disse dentro de mim: "Você teve a dádiva de *dois anos* para se despedir."

A voz estava com a razão. Tive dois anos! A premonição de que ele iria morrer fez com que eu me despedisse dele cada vez que nos encontrávamos, e eu sabia disso. A consciência de que seus dias estavam contados tinha sido ao mesmo tempo uma bênção e uma maldição. Pensei no que dissera a meu pai na última conversa que tivemos por telefone: "Espere por mim, papai, vou ajudá-lo quando voltar. Não me deixe, ainda preciso de você."

Ele não respondeu, e então eu lhe disse que o amava e desliguei. É interessante como eu não soube separar em mim a médium da filha. Minhas palavras nitidamente reconheciam a perda. Mas não consegui perceber isso, pois dessa vez queria estar enganada.

Comecei a compreender que, se tivesse tido escolha, nunca o teria deixado partir. Mas sabia que é Deus quem decide o momento em que as almas devem dar um passo adiante, a hora de deixar esta vida.

Num primeiro momento fiquei incapacitada de entrar em contato com meu pai, porque estava bloqueada pelo sofrimento, mas finalmente ele acabou me alcançando. Na semana seguinte à sua morte recebi dois telefonemas de alunos de dança do meu pai. Eles não se conheciam, e nenhum dos alunos sabia que eu era médium. Eu tinha certeza de que meu pai não havia lhes contado. Quando ele tomou conhecimento do meu dom, foi bem claro: "Bem, não conte a ninguém!"

Os dois me disseram que tinham sonhado com meu pai. Contaram que ele estava com ótima aparência e feliz. Nos dois sonhos conversaram com ele, que lhes pediu para telefonar para sua filha dizendo que estava bem. Os dois hesitaram em me ligar, temendo que eu os achasse malucos. Mal sabiam eles!

Quando os entes queridos aparentemente não nos alcançam, eles continuam tentando até finalmente conseguirem achar uma maneira. Fico bastante aliviada em saber que papai conseguiu enviar energia para me consolar por meio de outros. Devemos ficar gratos por esses sinais e mensagens, pois eles são inestimáveis.

Contratei *mariachis* para o enterro de papai e pedi que tocassem *My Way*. Planejei um enterro de que ele teria gostado e um velório que ele acharia divertido, com muitas fotografias, histórias e bons amigos. Tinha certeza de que meu pai estaria lá, no velório e no enterro, e queria proporcionar uma despedida que lhe desse prazer. A única coisa esquisita foi que não consegui vê-lo com a mesma clareza com que costumo ver o "personagem principal" em outros funerais.

Fazemos de tudo para administrar o sofrimento, e cada um sofre à sua maneira. Eu achava que, se ouvisse "Seja forte!" mais uma vez, daria um grito. Eu não queria ser forte e, além disso, não estava preocupada em fazer ou dizer a coisa certa. Se você não se desintegra depois de uma grande perda, quando é que vai se permitir isso? A morte é justamente desintegração. A pessoa tem que se desintegrar para se reestruturar. Meu pai morreu, e eu não sou mais a mesma. Nunca serei aquela Allison novamente, mas aprendi com sua morte. Certamente adquiri novas camadas na formação da médium que sou hoje.

Tento perceber os pontos fortes dos que morreram para incorporá-los a mim. Um dos pontos fortes de meu pai era a risada. Ele se divertia, e fazia rir os que estavam com ele. As pessoas o adoravam porque ele as fazia se sentir bem com elas mesmas. Atualmente me esforço para tornar agradável a vida dos que convivem comigo. O maior presente que podemos oferecer às pessoas amadas que perdemos é manter uma parte delas viva em nós mesmos, reconhecendo e celebrando sua importância.

Sete semanas após a morte de meu pai, meu amigo Randy morreu de um ataque cardíaco aos 49 anos. Ao chorar sua morte na companhia de seus três filhos adolescentes e de sua bela esposa, percebi o orgulho que os filhos tinham do pai e como achavam que ele tinha levado uma vida maravilhosa. Sofriam com sua morte, mas não deixavam de se lembrar de coisas que Randy havia conquistado ou lhes ensinado.

Erica, a filha de 19 anos, disse: "Meu pai não vai me levar ao altar no meu casamento. Ele não vai estar aqui para conhecer seus netos."

O que eu poderia dizer? Ela estava com a razão. Tomei consciência da sorte de ter tido meu pai por trinta anos. Algumas pessoas tiveram os seus por menos tempo, ou até nenhum.

Mas Erica não se deteve nesse pensamento. Começou a contar uma história maravilhosa sobre um dos verões passados à beira do lago. Lá onde se encontrava, Randy certamente devia estar orgulhoso de seus filhos.

My Way também foi tocada no enterro de Randy. Chorei, elaborando a dor vivida no enterro de meu pai.

Em parte, escrevi este capítulo para as pessoas que se martirizam pela morte de um ente querido. Muitas acreditam que, se tivessem tomado alguma providência, poderiam ter evitado a morte dos que amam.

Quando isso acontecer, pensem na minha história. Eu sabia que meu pai ia morrer, e de que forma. Acredite, fiz *tudo* para evitar, mas descobri que isso não estava em minhas mãos nem nunca estaria. Quando a contagem de alguém está no final, o tempo acabou. Espero aliviar a culpa dos que acham que poderiam evitar a morte. Desejo que a história de meu pai sirva para lembrar que às vezes não temos as rédeas em nossas mãos.

Mas uma coisa é certa: há sempre uma dádiva na morte de um ente querido, por mais absurdo que isso possa parecer. Aliás, se ficarmos atentos, quase todas as experiências na vida oferecem alguma espécie de dádiva. Muitas vezes é difícil reconhecê-la no momento da dor, mas finalmente ela acaba sendo descoberta.

Atualmente celebro a vida de meu pai, e o amo de forma crescente. Quando mexi em seus pertences em busca de um pedaço dele, fui conhecendo-o cada vez mais. Eu o vi nos muitos recibos das doações que fez para instituições de caridade infantis. Também o encontrei na caixa dos troféus de dança, nos cartões que lhe dei ao longo dos anos, nos desenhos que fiz para ele quando criança. Ele se encontra nos rostos de meus filhos, em traços de seus temperamentos, nas suas qualidades mais bonitas. Meu pai não partiu de fato, e por isso eu lhe digo: "Até nosso próximo encontro, pai! Você sabe o quanto eu o amo."

Capítulo 2

Uma menina conhece o outro lado

Em 1978, aos seis anos, tive o primeiro vislumbre do outro lado (pelo menos, o primeiro do qual me lembro). Meu bisavô Johnson morreu após uma longa batalha contra um câncer de intestino. Lembro-me de minha mãe chorando ao presenciar a dor cruciante de meu bisavô, que tinha sido sempre tão bom para ela. Sua morte pareceu longa e prolongada.

Fui ao enterro, mas não entendi direito o que estava acontecendo. O caixão estava colocado a uma grande altura do chão, obrigando minha mãe a me levantar para que eu pudesse vê-lo pela última vez.

O bisavô Johnson costumava usar um chapéu de caubói. Era um homem alto e simpático que adorava crianças. Eu iria sentir falta de brincar com ele. Sussurrei um adeus e depois me escondi atrás de minha mãe, tentando fugir da cena e querendo entender o que estava acontecendo. Por que todos choravam tanto? Foi um dia longo e triste.

Naquela noite fui despertada do sono por uma presença. Meu quarto resplandecia com um brilho suave. Não senti medo, mas fiquei ansiosa.

O bisavô Johnson estava perto da minha cama e disse: "Estou bem, ainda estou com vocês. Diga à sua mãe que a dor passou."

Eu queria chamar minha mãe, mas fiquei paralisada e atemorizada. Queria que ela visse e soubesse que o bisavô não estava mais doente. Ele permaneceu só um pouco depois da transmissão da mensagem e então se foi.

O que estava acontecendo? Por que ele não quis ficar?

Saí da cama e fui para o quarto de minha mãe. Sabia que o que estava acontecendo não era normal, pois mamãe nunca tinha falado em ver as pessoas depois de seus enterros. Eu tinha medo de que ela achasse que eu estava inventando a história e que brigasse comigo. Mas contei de qualquer maneira. A experiência tinha sido demasiadamente especial e eu precisava compartilhá-la com ela, como o bisavô tinha pedido.

Minha mãe reagiu como a maioria dos pais. Sorriu e disse: "Claro que acredito em você, mas volte para sua cama."

Percebi que ela não acreditara em mim. Senti que não era compreendida. Embora sua reação fosse normal, ela provocou em mim uma enorme confusão. Se a visão do meu bisavô tinha sido apenas fruto da minha imaginação, então ele não me visitara de fato.

Como sempre me disseram que eu tinha uma imaginação muito fértil, resolvi guardar os momentos de comunicação com os mortos só para mim. Depois que o assunto do bisavô foi esquecido, descartei todas as ocorrências parapsicológicas e ignorei todas as mensagens vindas do outro lado. Às vezes eu achava que estava alucinando. Via figuras humanas evanescentes ao lado das pessoas. Informações pessoais coloridas sobre estranhos surgiam na minha cabeça e passavam como num filme. Convenci-me de que as visões eram criações de minha mente. Mas minha cabeça estava sobrecarregada pelo outro lado e eu não sabia.

Como criança médium, eu precisava ter sido estimulada a falar de minha aptidão. Mas como minha mãe poderia saber do que eu precisava? Nossa sociedade desconhece o que pode ser feito para ajudar os jovens médiuns a desenvolver seus dons.

Uma das minhas motivações para escrever este livro é ajudar os pais e seus filhos dotados a evitarem mal-entendidos e confusões. Quero que os jovens reconheçam e aceitem seu dom a partir do momento em que ele se manifesta.

Capítulo 3

Um anjo no meu ombro

Aos 11 anos, eu era uma criança desajeitada, de pernas longas e ossudas, cabelo crespo e ruivo e bochechas cobertas de sardas, que eu odiava. Como a maioria das crianças protegidas, eu era um pouco ingênua.

Numa tarde, eu voltava para casa de bicicleta, pensando no que mamãe teria feito para o jantar. Ao virar a esquina, um carro surgiu ao meu lado com dois jovens dentro.

O homem no banco do carona se inclinou para fora da janela em minha direção. De cabelos longos, ele se parecia um pouco com meu irmão Michael. Achei que talvez fosse um de seus amigos. As cenas seguintes estão gravadas para sempre na minha memória.

O homem sorriu e disse:

– Você precisa de uma carona para casa?

– Não, obrigada – respondi. – Moro logo ali, depois da esquina. Estou quase chegando.

– Vem – ele insistiu. – Vai ser divertido! Vem dar uma volta com a gente.

Olhei em torno. Não havia ninguém, nenhum carro passando, a rua estava vazia. Senti um mal-estar. Havia alguma coisa esquisita, e eu não conseguia me mexer.

Nesse instante, uma voz soou no meu ouvido: *"Corre! Se manda!"* Imagens da minha casa piscaram com insistência na minha mente.

Despertei da paralisia que o medo provocara em mim e me mandei o mais rápido que pude em direção à casa. O carro com os dois homens se afastou na direção oposta. Senti uma dor no peito por ter prendido a respiração, pedalei com toda a força e, ao chegar, contei à minha mãe o que tinha acontecido.

Ela fez o que a maioria dos pais faz ao se defrontarem com tal situação: optou por não chamar a polícia. Como trabalhei com segurança infantil durante anos, sei que, infelizmente, a maior parte das tentativas de rapto infantil não é denunciada pelos pais.

No mesmo ano, um garoto que entregava jornal no bairro foi raptado e sofreu violência sexual. Creio que, se tivesse ficado parada mais uns trinta segundos, teria sido puxada para dentro do carro. Também sei que foi por ter obedecido àquela voz poderosa e autoritária naquela tarde quente de 1983 que estou aqui para contar a história da minha vida. Ouvi e sobrevivi. Ouça seus guias, sejam eles anjos, parentes no outro lado ou simplesmente guardiões. Eles tentam nos orientar na vida para nos dar segurança e proporcionar nosso bem. Portanto, preste atenção neles. Não os descarte com ceticismo. Não duvide de sua presença – eles estão aqui de fato.

Eu não entendia por que algumas pessoas agrediam as crianças, mas sabia que isso é profundamente errado. Tinha consciência de que outros adultos eram capazes de impedir de alguma forma que as pessoas más agredissem as crianças. Prometi a mim mesma que, quando crescesse, faria algo para proteger as crianças de agressores. Não sabia direito como, mas tinha certeza de que um dia eu me dedicaria a essa causa.

Meu medo de rapto foi se transformando em ódio e, depois, em propósito. No mesmo ano fiz uma redação para a escola sobre minha futura carreira. Eu queria ser advogada e depois juíza, para distribuir sentenças severas a pessoas que maltratavam crianças. Meu percurso já tinha sido traçado. Desde cedo senti o chamado para defender as crianças de qualquer tipo de agressores.

Em novembro de 2000, quase duas décadas depois, o objetivo de minha vida reapareceu em conseqüência do caso de uma pessoa desaparecida no Texas. Ajudei a criar um sistema de alerta a rapto de crianças no Arizona. No próximo capítulo falarei sobre isso.

Se eu puder fornecer à polícia informações que ajudem a capturar criminosos, terei ajudado na luta contra esses degenerados. Se o agressor de uma criança é responsabilizado e punido, a sociedade como um todo fica mais protegida. Se puder aliviar o sofrimento dos parentes de uma vítima, retirando um peso de seus corações, as dificuldades que enfrento em meu trabalho serão recompensadas.

Agora sei que, enquanto eu pedalava minha bicicleta a caminho de casa naquele dia aterrorizante, aos 11 anos de idade, havia um anjo em meu ombro que me colocou no caminho que deveria seguir na vida adulta.

Capítulo 4

Desaparecidos

Aos 19 anos, eu era caloura na universidade e fazia a cadeira de ciência política pela primeira vez. Ouvindo o professor discorrer sobre os detalhes de várias guerras, comecei a ficar cada vez mais interessada na atuação do estrategista político em situações perigosas.

Na ocasião fiquei dividida entre ser advogada e estrategista política. Começava a me dar conta de que era capaz de perceber de antemão o que as pessoas iriam fazer, e muitas vezes recebia a imagem mental de um criminoso ao assistir a reportagens sobre casos insolúveis. Porém, eu ainda era jovem demais e inexperiente para perceber a extensão da minha capacidade. Não queria me achar diferente dos outros, mas precisaria de mais tempo e de uma série de complicações para tomar consciência desse fato e aceitá-lo.

Venho trabalhando em muitos casos de pessoas desaparecidas. Faço perfis para a polícia e dou apoio a amigos e parentes de pessoas assassinadas. Consigo acessar tanto a mente da vítima quanto a do criminoso. Sou mais eficaz em acessar a dos criminosos, pois geralmente eles produzem mais adrenalina, que é revelada no cérebro, em vez de aparecer no coração e na alma. Acho mais fácil interceptar o pensamento do que os sentimentos de uma pessoa. Para tentar receber o maior número de informações coerentes no menor tempo possível, quanto menos emoção, melhor.

Infelizmente, grande parte dos casos de rapto não chega a um final feliz, apesar de nossos esforços.

A maioria das pessoas não tem noção da quantidade de competentes médiuns que fazem perfis, prestando auxílio à polícia diariamente. Em geral, não levamos crédito por nosso trabalho, pois as informações que recebemos ajudam a polícia em suas investigações mas não têm valor judicial. A polícia também hesita em reconhecer publicamente o nosso papel por causa da controvérsia em torno dos médiuns. Mas não nos importamos, pois nossa intenção não é aparecer, apenas colaborar.

Os médiuns são exauridos física e emocionalmente quando trabalham em casos de pessoas desaparecidas. Há uma grande demanda de energia para acessar criminosos e vítimas. Esse acesso abre um leque de situações que a maioria das pessoas nunca experimentou. Por isso, muitos médiuns não aceitam trabalhar em casos de pessoas desaparecidas.

Sinto-me responsável por colocar a serviço o dom que recebi, mas sei que só posso me dedicar a um número limitado de casos por ano. E acho necessário dizer que nunca pedi ou aceitei pagamento por esse tipo de trabalho.

Quando trabalhava na defesa de crianças, em um contexto fora da mediunidade, tive oportunidade de conversar com alguns pais de crianças desaparecidas que já haviam utilizado médiuns para ajudá-los. Fiquei estarrecida com o que oportunistas insensíveis e exploradores diziam para eles: forneciam detalhes dolorosos e traumáticos dos raptos das crianças, sem, no entanto, descobrir qualquer pista. Dessa forma, esses médiuns cobravam simplesmente para provocar sofrimento.

Vocês não podem imaginar como isso me deixa indignada. Morro de raiva pela dor causada a esses pais e filhos, mas também pelo descrédito que tais atitudes geram em relação à mediunidade, que é um dom tão sério e precioso.

Espero que minhas orientações sirvam para evitar que médiuns sensitivos jovens usem seu talento de forma lesiva e irresponsável. A morte de um ente querido, principalmente se for uma criança, é por si só muito difícil de suportar. Se informações do tipo "Ela passou por torturas" ou "Ela gritou chamando pela mãe" são úteis para resolver o caso – o que é improvável –, elas devem ser fornecidas à polícia, não à família. Os que jogam sal em uma ferida dolorida não têm ética, misericórdia ou consciência.

Busca no Texas

Em agosto de 2000 tive a oportunidade de trabalhar com a polícia do Texas em meu primeiro caso oficial de pessoa desaparecida. É uma história que para mim será sempre motivo de orgulho.

Eu dera à polícia apenas informações específicas sobre o criminoso no rapto e assassinato de uma menina. Essas informações não foram repassadas para o público. Os policiais ficaram tão estarrecidos com os detalhes fornecidos que quiseram me conhecer pessoalmente.

Ao viajar para a Virgínia, onde ia dar uma entrevista, parei em Dallas, onde um grupo de policiais florestais de aparência muito digna me esperava no aeroporto. Eram altos, bem-educados e dispostos a trabalhar. Gostei imediatamente do sargento. No carro, ele virou-se para mim e pediu:

– Diga alguma coisa a meu respeito.

Sua forma de falar foi tão simpática que não me incomodou

– Ah, você está me testando! Isso não é novidade! – Parei, sorri e disse: – Você tem um problema grave no coração. Precisa prestar mais atençao na sua saúde.

Ele e uma policial feminina caíram na gargalhada.

– Qual é a graça?

– Acabei de colocar duas pontes de safena – o sargento disse. – O problema está resolvido.

Insisti para que ele seguisse com afinco as prescrições médicas e continuasse atento. Poucos meses depois, ele me ligou para dizer que tinha tido outro ataque cardíaco.

Durante algumas horas cobrimos de carro as áreas aonde o criminoso dizia ter levado a menina. Muitos assassinos em série gostam de guardar segredo sobre a localização das vítimas, pois sabem que isso lhes confere poder. Esse raptor era um mentiroso compulsivo, e por isso eliminei para a polícia os locais falsos. Depois soube que a polícia já havia descartado algumas daquelas áreas e só queria me testar. Caminhei por muitos lugares, até ver uma cerca de arame farpado que eu tinha descrito na área próxima ao local que eu mesma marcara no mapa antes de chegar ao Texas. A informação coincidia com a dos cúmplices do assassino, e então soube que a descrição que eu dera do veículo usado no rapto estava correta, assim como o fato de o criminoso haver trocado de veículo. É sempre impressionante ver nossas visões serem confirmadas.

Com a chegada da noite, ficamos impossibilitados de cobrir o resto da área. Eu tinha que pegar o avião na manhã seguinte e partir, sem dar prosseguimento à busca. Fiquei frustrada, com a impressão de que meus esforços tinham sido em vão. Por uma estranha coincidência, pouco depois, uma tempestade tropical inundou toda a área.

Os policiais florestais e outros policiais com os quais eu tinha trabalhado eram pessoas valentes e honradas e estavam emocionados com a morte da criança. Ao partir, perguntei a meus guias: "Por quê? Por que me enviaram para aquele lugar se eu não iria encontrá-la?"

A resposta chegaria dentro de três meses. Quando voltei a Phoenix, lembrei-me de que o sargento da polícia do Texas tinha mencionado um sistema chamado Amber Alert, em homenagem a Amber Hagerman, que fora raptado e assassinado em 1996. É um sistema de alerta usado no caso de rapto infantil para informar uma ocorrência ao público assim que a polícia toma conhecimento do fato. As estações de rádio e os canais de televisão locais interrompem a programação para transmitir a descrição do suspeito, do veículo e da criança, dando aos motoristas e moradores a oportunidade de salvar uma criança ao notificar a polícia sobre o seu paradeiro.

Decidi entrar em contato com os políticos locais para a implantação de um sistema Amber Alert em Phoenix. Também contatei organizações de pessoas desaparecidas solicitando sua ajuda, mas foi em vão. Então decidi fazer o trabalho sozinha. Das muitas cartas que escrevi, um único político me respondeu, mas já foi o bastante. Pedi uma colaboração para instalar o alerta e fiquei feliz por ser atendida.

Escolhi permanecer anônima até que o sistema de alerta fosse levado a público e estivesse pronto para ser utilizado, pois não queria diminuir sua credibilidade. Se soubessem que a iniciativa tinha sido tomada por uma médium, ela seria olhada com desconfiança. É triste constatar o preconceito contra os médiuns, mas eu tinha de ser realista. No entanto, após um ano, o sistema de alerta ainda não fora divulgado, o que me deixou impaciente. Em março, passados exatamente três anos do dia em que a menina do Texas havia sido raptada, o sistema foi finalmente anunciado. A menina do Texas não só contribuiu para que eu viesse a saber do alerta como acho também que me deu todo o apoio.

Atualmente as crianças no Arizona têm a chance de sobreviver que a menina do Texas não teve. Não acredito ter sido coincidência que o sistema de alerta fosse divulgado na data do seu rapto. Nada acontece por acaso.

Dois meses após sua divulgação, o alerta localizou uma menina que tinha sido levada pelo pai sem custódia. Um caminhoneiro identificou a placa do carro, e ela foi recuperada em três horas.

Uma estação de rádio local me perguntou se não seria um erro acionar o alerta para rapto num caso como esse. Respondi que, mesmo se tratando do pai, era importante verificar se a criança estava correndo perigo. A polícia deve analisar cada caso, e acho que agiu certo nesse. Naquela semana, a menina raptada encontrava-se em casa, segura ao lado de sua mãe, no jantar de Ação de Graças.

O próximo salvamento pelo alerta, apenas dois meses depois, foi de um bebê que se encontrava no banco traseiro durante o roubo de um carro. Inúmeras crianças já foram salvas por esse sistema de alerta inteligente.

Os restos da menina do Texas foram recuperados em janeiro de 2004 e finalmente entregues à família. Pude então confirmar as informações que eu havia fornecido à polícia. Verifiquei também que interpretara erroneamente alguns dados recebidos.

Por exemplo, eu via em minha mente aviões pequenos, o que devia ter me levado a limitar a localização dos restos da menina a áreas próximas a aeroportos. O corpo foi encontrado a um quilômetro e meio da base da aeronáutica. A palavra *pueblo* foi visualizada por mim repetidas vezes e, no final das contas, Pueblo Trail ficava próximo do local onde se encontravam os restos. O mesmo se deu com a palavra *Timber*, pois Timber Wolf Lane era uma rua perto da área.

Não se trata de ciência exata e nem todas as informações são confirmadas. Mas muitos dos sinais que recebo são úteis, se aplicados de forma adequada. Nos quatro anos que se seguiram a esse caso, desenvolvi consideravelmente minhas aptidões, mas nunca vou me esquecer daquela menina do Texas que mudou minha vida por meio de seus sussurros.

Elizabeth Smart

Todas as pessoas com quem me deparei em 2002 queriam saber minha opinião sobre o rapto de Elizabeth Smart. Como a conclusão do caso foi quase miraculosa, vou compartilhar alguns detalhes.

Em junho de 2002, Elizabeth Smart foi raptada em sua casa. Essa história dolorosa apareceu em todos os noticiários importantes dos Estados Unidos. O país acompanhava a busca desesperada da família Smart por sua filha. Fomos testemunhas de um dos piores pesadelos de todos os pais.

Vi a foto de Elizabeth na televisão e tive vontade de ajudar. Mas só costumo dar informações sobre um caso quando sou solicitada. Logo após o rapto, porém, minha amiga Catherine me pediu um perfil do criminoso para ser enviado à equipe de busca e resgate em Utah. Todas as informações que forneci estão registradas e são verificáveis.

No perfil que descrevi, o criminoso tinha alguma ligação com o nome Brian. Afirmei que ele havia trabalhado na casa dos Smart, que levava uma vida meio cigana, mas conseguia transitar na sociedade. Ele costumava mudar de aparência e captei uma conexão forte com a Califórnia, logo, podia ter fugido para lá ou ter vindo de lá. Tinha tendências para pedofilia, com possíveis antecedentes. Também descrevi uma cidade pequena próxima daquela em que Elizabeth fora raptada, provavelmente onde o criminoso morava ou ficava um bom tempo. Era um lugar importante para ele. Eu também sabia que ele levara Elizabeth para uma floresta com pinheiros.

Mais tarde, as autoridades descobriram que o raptor se chamava Brian David Mitchell e que tinha feito alguns biscates para os Smart. Ele não fixara residência desde que abandonara sua família uma década antes. Quando raptou Elizabeth, ele a manteve em uma área de camping com aspecto de floresta; mais tarde, levou-a para San Diego, na Califórnia. Sua ex-mulher declarou que ele era pedófilo.

Infelizmente, as informações que forneci não foram usadas no momento em que as transmiti. Elas só foram confirmadas bem mais tarde, depois que Elizabeth foi encontrada.

Esses detalhes poderiam ter propiciado uma ajuda mais rápida, se tivessem sido utilizados imediatamente. No fundo, isso aconteceu por preconceito, pelo fato de eu ser uma médium sensitiva. Espero que um dia o sistema reconheça a legitimidade de pessoas como eu, para que nossas visões possam ser compartilhadas com as autoridades assim que um seqüestro ocorrer.

Repito, nossa ciência não é exata. Os que fazem perfis são seres humanos, passíveis de erro, como todos. Mas não há dúvida de que os perfis podem ajudar as vítimas. É um dom que deve ser reconhecido, pois o que está em jogo é muito valioso – a vida humana.

Perdidos no deserto

Um dia, minha conselheira Catherine, que também é médium e com quem promovo sessões em grupo, me telefonou. Uma participante de uma das sessões tinha amigos que estavam desaparecidos. Havia dois dias eu acompanhava pelo noticiário todo o desenrolar da situação, que recebia uma grande cobertura local.

A hipótese mais provável era a de que as três pessoas desaparecidas tivessem sido seqüestradas, quando se dirigiam de carro para uma cidade próxima, e possivelmente assassinadas. Steve Cerqua, sua esposa, Kathy, e a mãe de Kathy estavam desaparecidos. Retiradas de dinheiro em bancos eletrônicos e compras da família em uma loja local foram registradas, mas nada além disso. Aceitei o pedido de Catherine para ajudá-los, até porque, no segundo dia após o desaparecimento, também recebi um telefonema de um parente dos Cerqua.

Comecei perguntando quem dirigia o Toyota Camry, pois foi a palavra que me veio. Eu sabia que os Cerqua e Sally Rosenwinkel não estavam no carro quando desapareceram, mas precisava confirmar se tinha feito a conexão acertada. Soube que a filha dos Cerqua dirigia um Toyota Camry e sempre o estacionava em frente à garagem.

Que bom! Encontrara a pessoa certa. Minha conexão era com Steve Cerqua. Disse à família que os três estavam vivos e não havia razão para se preocuparem. Acrescentei que seriam encontrados cinco dias após o desaparecimento e voltariam sãos e salvos.

A família queria saber por que Steve não usara o telefone celular para se comunicar com ela. "Não é possível no lugar onde estão. Não funcionaria", afirmei.

Quando me perguntaram o que havia acontecido com os três, eu lhes disse que o carro estava atolado na lama ou em algo espesso, sem conseguir sair. Steve aparentemente errara o caminho.

A filha dos Cerqua queria saber se o pai teria deixado a mãe e a avó para procurar ajuda, e eu respondi que sim. Os amigos e a família dos desaparecidos ficaram confusos, pois não conseguiam acreditar que ele havia deixado a esposa e a sogra sozinhas. Garanti que ele não teve outra escolha e que fizera isso para salvá-las. Então forneci informações gerais sobre a localização dos três, dizendo que se encontravam mais distantes do que se pensava, e descrevi um lago e uma área para piquenique nas proximidades. Assim, mantive as esperanças da filha dos Cerqua.

Catherine insistiu para que eu entrasse em contato com o detetive que estava investigando o caso e lhe comunicasse a informação que recebera. Mais uma vez a polícia não levou em conta minha contribuição e dispensou a minha ajuda.

Extremamente debilitadas, as três pessoas foram resgatadas quatro dias após o desaparecimento. Steve tinha pegado um atalho, mas seu carro atolara na lama. Ele não conseguiu usar seu celular por causa das montanhas. Finalmente, no quarto dia, ele deixou a mulher e a sogra no local e subiu ao topo de uma montanha próxima para tentar conseguir contato telefônico. Ficou ausente durante horas, mas conseguiu fazer uma chamada de socorro. Um helicóptero de uma agência local de notícias os resgatou.

Steve e Kathy comemoraram suas bodas de prata naquela mesma semana no Havaí. Quando voltaram, deram uma festa para todos os que ajudaram durante a busca. Não pude ir, mas Catherine foi e me contou que a família fez um álbum de recortes com todas as notícias sobre o desaparecimento. Nele havia uma página dedicada aos médiuns que trabalharam no caso. Isso foi o máximo que já havíamos conseguido!

A história dos Cerqua sempre me faz pensar que as pessoas desaparecidas podem de fato estar vivas e bem. Dedico minha vida a casos como esse. Embora minhas informações não tenham salvo de fato os três, elas serviram de consolo e apoio para os parentes e amigos, diminuindo seu desespero. Sempre que preciso me lembrar de um final feliz, penso nessa história.

Espionagem mental

Fazer perfis não tem a ver necessariamente com histórias de mistério ou crimes. Às vezes serve para investigar a mente de pessoas envolvidas em situações diferentes. Uma vez ajudei uma cliente que me chamou por telefone para localizar uma herança de milhões de dólares. No contato com ela, sem que me fornecesse qualquer informação, captei uma mensagem do pai falecido de que sua filha tinha um dinheiro a herdar e onde ele se encontrava. Disse-lhe o país onde o dinheiro poderia ser recuperado e a pessoa a ser procurada para comprovar sua existência. A cliente localizou o dinheiro e a pessoa que tinha o comprovante.

Também recebo muitos telefonemas de pessoas tentando descobrir o que seus amados estão aprontando. É penoso penetrar na mente de um homem e ter de lhe contar que vejo sua mulher em um estacionamento perto de um bar encontrando-se com outro homem. Quase sempre recebo um retorno. O cliente me liga de volta para confirmar minha informação, e muitas vezes acrescenta que não é a primeira vez que isso acontece.

Às vezes um marido pensa que a mulher foi raptada, quando na verdade ela fugiu. É bastante constrangedor atender a um pedido de socorro desse tipo e descobrir que a mulher não é uma vítima. Prefiro ficar fora dessas situações.

Quando penetro na mente de uma pessoa bêbada ou drogada, sinto em mim os efeitos do entorpecimento e da lentidão. Também sinto suas emoções. A espionagem mental é interessante, porque me permite penetrar nos pensamentos de alguém. No entanto, crianças que foram brutalmente traumatizadas geralmente tornam-se inacessíveis para mim. Nesses casos, tenho que obter informações da mente do criminoso, pois a criança em geral se encontra muito confusa para saber o que está acontecendo, o que dificulta a recepção.

Também sou solicitada a colaborar na seleção do júri em casos de estupro e homicídio, a fim de obter a sentença que a promotoria deseja. Mas só trabalho com promotores que conheço e em quem confio. Além disso, participo apenas de casos em que não haja dúvida quanto à culpabilidade do réu. Exijo que a informação recebida seja sustentada por teste de DNA. Faço questão de provar a seriedade.

Perguntaram-me se isso não seria um jogo de cartas marcadas contra a defesa. Em primeiro lugar, espero que sim. Em segundo, não determino nada, apenas escolho a partir de um grupo de jurados em potencial, previamente selecionados pelo sistema judiciário. Finalmente, os advogados de defesa sempre tentam desqualificar pessoas como eu. Então, se eles não consideram minhas informações confiáveis, não têm nada a temer.

Nenhuma outra estrada para caminhar

Um dos casos em que mais me envolvi foi o da morte de uma testemunha que iria prestar depoimento no tribunal no dia seguinte. Ela foi assassinada em casa, a sangue-frio, na frente dos filhos.

Como também sou mãe, dei tudo de mim nesse caso. Ele me consumiu. O réu não manifestava nenhum remorso. O que quase ninguém percebeu foi que a mulher assassinada esteve no tribunal todos os dias do julgamento. No último dia da argumentação, entrei no tribunal procurando meu batom na confusão de minha bolsa. Nesse exato momento ouvi uma voz feminina e suave dizer: "Este é o meu filho!"

Olhei para a esquerda e a vítima do assassinato estava sentada ao meu lado, sorrindo. O promotor aproximou-se de mim acompanhado por um jovem que me apresentou como Neil, o filho da vítima. Emocionada, apertei sua mão. Ouvi então uma voz em meus pensamentos: "Você está aqui por ele. Lute por ele!"

Naquele dia dei uma carona a Neil. Estabelecemos imediatamente um contato afetuoso, e ele me falou muito sobre a mãe. Dei-lhe o número do meu telefone, pedindo para me ligar sempre que precisasse de alguma coisa. Ele agradeceu, e cada um seguiu seu caminho. Neil não conhecia a extensão do meu trabalho. Não era necessário. Ele só precisava saber que eu era consultora do júri e que estava empenhada no caso de sua mãe.

Enquanto isso, a principal promotora mostrava-se cada vez mais preocupada com a questão dos jurados, que no último minuto pediam para ser substituídos. No sábado fui a uma festa em sua casa. Ela estava estressada, e perguntou-me quando o júri voltaria com a sentença e qual seria.

Não pude deixar de achar graça, mas respondi rápido: "Terça-feira, às três da tarde, o júri voltará com a sentença a favor da alegação da promotoria pela pena de morte."

Ela sorriu, sentindo-se melhor, mas o bolo no estômago continuou. Afinal, o veredicto dependia muito da sua competência.

Minha saúde começou a pagar o preço por esse caso, com um resfriado no fim de semana. Na terça-feira de manhã, acordei às nove horas e me dei conta de que o júri começava a deliberar. Sentia um aperto no peito e o peso da promotoria sobre meus ombros, assim como o da vítima e seus filhos. Queria, com todo o meu ser, que eles fossem justiçados.

Desejava também ter a certeza de que o assassino nunca mais ficaria livre para matar outra vez, como certamente aconteceria. Minha cabeça parecia a ponto de explodir durante a manhã toda. Às três da tarde, liguei para a promotora na esperança de que ela já tivesse o veredicto.

Ela atendeu imediatamente.

– Acabaram de nos chamar! O júri está de volta com a sentença! Tenho de ir; telefono quando acabar. Allison, aconteceu tal como você previu: o júri voltou às 14h57.

Desligamos e fiquei ouvindo o tique-taque do relógio. Meu coração palpitava e eu sentia um nó na garganta o tempo todo.

Meia hora depois, o telefone tocou. Pulei literalmente da cadeira.

– Alô?

– Allison, você é o máximo!

– Conseguimos a pena de morte?

– Conseguimos.

Eu tinha que saber:

– O que o réu fez quando foi lida a sentença?

– Riu.

Um final feliz. Mas quero deixar claro que sozinha não teria chegado a esse resultado. Ele se deveu muito ao excelente trabalho da polícia e da equipe jurídica. E não posso deixar de falar da coragem dos filhos. A mãe deve ter se sentido profundamente orgulhosa deles.

No final de cada caso, sempre digo a mim mesma: "Esta é a minha vida." Muitas pessoas ficam admiradas com o que faço. Eu até entendo, porque é um dom fora do comum, mas sei perfeitamente que não poderia fazer nada diferente. Acho mesmo que não saberia fazer outra coisa.

Capítulo 5

Médiuns de jardim-de-infância

Ariel, minha filha de seis anos, voltou da escola chateada porque seus colegas não conseguiram ver a aparição de um homem no corredor em frente à sala de aula. Ela o descreveu para a turma, que riu dela. Quando se virou para vê-lo, ele tinha desaparecido.

Descobri mais tarde que Erin, uma colega de Ariel, se aproximou dela e sussurrou: "Eu também estou vendo, Ariel." Fico muito contente por ela ter uma amiga de sua idade com o mesmo dom, para que não se sinta tão marginalizada. Ariel e Erin trocam idéias sobre suas aptidões e sobre o meu trabalho. Elas sabem que nem todos vêem o que elas são capazes de ver, mas que isso é normal. As duas curtem o fato de terem "poderes" especiais.

Quero compartilhar alguns exercícios que faço com as minhas filhas para impedir que elas se fechem, à medida que crescem. Já notei que, quando as crianças médiuns se dão conta de que os colegas as acham esquisitas ou diferentes, elas freqüentemente ignoram ou bloqueiam sua capacidade de se comunicar com o outro lado. A última coisa que uma criança em idade escolar deseja é ser diferente dos outros ou motivo de zombaria.

Quando minhas filhas estiverem crescidas, elas poderão decidir se vão manter uma relação com o outro lado. Até então, tento deixá-las abertas às possibilidades que as cercam.

Na minha infância, eu me fechava em virtude da confusão

provocada pelas coisas que via ou sentia, além da indecisão de minha mãe quanto aos meus dons, que me deixava com medo de decepcioná-la. Espero que este capítulo possa ajudar os pais a descobrir se algum de seus filhos tem um dom mediúnico e, nesse caso, o que fazer.

Vamos imaginar que seu filho ou sua filha chegue para você e diga: "Mãe, tem uma mulher ali." Você olha e não vê nada. O que deve fazer? O melhor é perguntar: "É mesmo? Como ela é? Qual é o seu nome? Ela quer nos dizer alguma coisa?"

Muitas crianças têm amigos imaginários e adoram inventar histórias. Se for o caso de um dos seus filhos, escutá-lo e entrar na brincadeira não vai prejudicar ninguém. Se alguma coisa mais significativa estiver ocorrendo, sua acolhida será positiva para tranqüilizá-lo.

Talvez você descubra que um amigo ou parente no outro lado está se aproximando de seu filho ou de sua filha para tentar se comunicar com você por meio dele ou dela. Este é um ótimo exercício para que seu filho ou sua filha se sinta à vontade para lhe contar os detalhes de seus encontros espirituais. Também serve de estímulo para a criança fazer perguntas e explorar a possibilidade de se comunicar com algo que ninguém consegue ver. Assim, você elimina o estranhamento que cerca uma situação desse tipo. As crianças procuram imediatamente os pais em busca de ajuda, aprovação e aprendizado. É você quem cria as condições para que seu filho ou sua filha desenvolva o próprio dom.

As crianças são mais acessíveis aos espíritos do que os adultos. Estes têm mais problemas e barreiras emocionais que dificultam a passagem do espírito. Muitas vezes o espírito sussurra uma mensagem ou tenta ser visto por um ente querido, mas acaba sendo descartado.

Saber que minhas filhas estão sendo protegidas me dá uma sensação de aconchego e segurança. Alguns poderiam dizer: "Eu não era tão próxima da tia Emma, então por que ela está comigo?" A pessoa no outro lado pode ter morrido na ocasião em que você nasceu, ou talvez tivesse uma ligação especial com seu pai ou sua mãe, e agora escolhe estar com você. É isso que importa. Como seres humanos, temos que perceber que às vezes algo maior do que nós toma as decisões. Sintam-se amados, conectados e tentem não se atolar nos porquês, pois as respostas para nossas perguntas acabam vindo.

Exercícios 1-2-3

Desafio minha filha mais velha a achar um objeto desaparecido na casa.

Alguns dias antes, meu marido, Joe, sentira falta de seu barbeador elétrico de estimação e passara a usar, a contragosto, um aparelho descartável. Desconfiávamos de que nossa Marie, de um ano, tinha escondido o barbeador elétrico em algum lugar, mas não conseguíamos encontrá-lo.

Eu estava de cama, com gripe, e chamei Ariel dizendo-lhe que tinha um favor a pedir. Devo admitir que inicialmente fui uma mãe típica, tentando suborná-la para que ela me dissesse onde estava o barbeador. O programa favorito de Ariel é fazer compras, e o dinheiro prometido seria mais do que bem-vindo. Apesar disso, ela me garantiu que não sabia onde se encontrava o barbeador.

Dois dias depois, decidi tentar uma abordagem diferente. De manhã, quando Ariel estava de pé ao lado da minha cama, eu lhe disse:

– Feche os olhos, inspire fundo e expire. Sua cabeça está igual a uma tela em branco? Relaxe seu corpo. Agora me diga: onde está o barbeador elétrico do papai? Qual é a primeira coisa que vem à sua cabeça?

– Acho que está na gaveta, no quarto de Marie.

Procurei no quarto de Marie, mas não encontrei. Como Ariel tinha falado de uma gaveta, saí do quarto e abri a primeira gaveta de um móvel no corredor. Bingo! Lá estava o barbeador. Disse a Ariel que, embora ele não estivesse exatamente no quarto de Marie, estava próximo, e que ela tinha se saído muito bem, principalmente levando-se em conta o tamanho da casa de dois andares.

Estar próximo, mas não exatamente no lugar apontado, é muito comum. Às vezes um parapsicólogo ou um médium recebe uma informação indireta. Levando em consideração a idade e a falta de experiência de Ariel, sua informação foi impressionante e eu a cumprimentei por isso. Ao dar força à minha filha, despertei seu interesse por jogos parapsicológicos, o que é um meio importante de evitar que a criança feche sua mente a esse dom.

Estimule seus filhos a confiar em seus instintos primários e na primeira informação que lhes vem à mente. Não deixe que alterem a informação com noções preconcebidas. Esse exercício foi ótimo, pois Ariel o encarou como um desafio e se divertiu. Ele também desenvolveu suas aptidões parapsicológicas, sobretudo considerando que a capacidade de localizar objetos é uma das ferramentas mediúnicas mais úteis. Ariel está aprendendo a confiar nas informações que recebe, sentido-se tão à vontade com seu dom a ponto de partilhá-lo comigo.

Digo à minha filha para não anunciar seu dom aos quatro ventos, pois nem todos compreendem o que não podem ver. Mas também a incentivo a valorizar e respeitar seus talentos, pois são especiais. Estimule seus filhos, mas não imponha nada. Se eles não se sentirem à vontade com os exercícios, recue.

Se seu filho, ou sua filha, toma a iniciativa de falar com você, abra-se para acolher tudo o que vier dele ou dela. Tome a iniciativa de falar do assunto apenas se a criança estiver confusa com algo relacionado a ela, ou quando lhe trouxer diretamente premonições ou questões sobre o outro lado. Não queremos que crianças que não possuem aptidões parapsicológicas fiquem perturbadas.

Se você perceber em seu filho ou em sua filha sinais absolutamente visíveis, que não podem ser ignorados, conte a história de algum parente dotado da mesma capacidade. Creio que o sexto sentido é geralmente genético. Converse com seu filho ou sua filha sobre os anjos e sobre os parentes que estão no lugar que se chama céu. A criança se abre mais facilmente ao sentir que os pais partilham suas próprias experiências.

Não martele a cabeça de seu filho ou de sua filha com uma longa exposição, principalmente se for uma conversa unilateral. Deixe o assunto no ar, espere uma reação, e avance com calma e cuidado. Se seu filho ou sua filha não demonstrar interesse, esqueça. Quando e se a criança quiser falar, retome o tema.

Se seu filho ou sua filha sente medo do próprio dom, é importante tratar do assunto com cuidado. Peço a meus guias que administrem a energia em torno dos meus filhos, não permitindo a aproximação de energia negativa ou malévola. Diga a seu filho ou sua filha que ele ou ela tem o poder de afastar a energia indesejável. Essa técnica é eficaz para todos, crianças e adultos. É importante que as crianças saibam que os espíritos não podem prejudicá-los.

Algumas vezes minha filha mais velha me diz que se sente tumultuada. Imagino que ela esteja experimentando uma forte atividade dos espíritos e sentindo a presença de pessoas que não consegue ver. Felizmente, consigo ver o que ela não consegue, por ter mais experiência e saber reconstituir a aparência de um espírito sempre que quero.

Aconselho-a a fazer perguntas básicas à presença, tais como "Quem é você?" e "O que você quer?". Se o mal-estar continua depois da resposta, digo ao espírito que ele está causando medo em minha filha e que, portanto, deve partir. Também digo a Ariel para, nessas ocasiões, se imaginar envolta em uma bela capa poderosa feita de luz branca. Como ela gosta de roupa, usei a imagem da capa para que se sinta mais à vontade. Garanto-lhe que a capa de luz pode protegê-la das coisas que a deixam com medo.

Ariel refere-se a seus guias como "anjos", um termo que a faz se sentir bem. Eles a protegem e lhe transmitem segurança, o que me deixa feliz. A segurança emocional e física e a tranqüilidade de uma criança são fundamentais.

Outra coisa que causa mal-estar à minha filha é absorver demasiada energia ao mesmo tempo. As pessoas sensitivas são muito vulneráveis às energias dos que as cercam e ficam às vezes sobrecarregadas com o excesso de energia que vem de uma só vez. Esse tipo de experiência pode ocorrer com qualquer um. A maioria das pessoas já se sentiu repelida sem motivo aparente por causa de uma sensação que recebe de outros.

Muito freqüentemente as pessoas são atraídas por outras que parecem ter uma energia acessível ou parecida com a delas. Cada um de nós tem sua própria energia que, tal como a personalidade, varia de pessoa para pessoa. O que é atraente para uns é repulsivo para outros. Quanto maior o número de pessoas que se agrupam ao seu redor, mais variações de energia você absorve.

Se você é especialmente sensível, tudo o atinge com mais intensidade. Imagine-se convivendo com uma pessoa arrogante e egoísta. Depois, com um chato, que fica dando risadinhas maliciosas, e, para completar, com alguém que fale muito e alto. Está se sentindo incomodado? O contato com a energia dos outros é assim para um médium.

Se você tem os sentidos aguçados, não é necessário que os outros seres humanos estejam ao seu lado. Mesmo afastados, eles o atingem. Por isso, você deve perceber quais são os limites necessários para ficar em uma atmosfera agradável, e estabelecê-los.

Algumas pessoas não se importam com a invasão de seu espaço pessoal. Acho que são exatamente as mesmas que freqüentemente invadem o espaço dos outros.

Eu pessoalmente tento evitar multidões, como em estádios ou em dias movimentados de compras. A família de meu marido é tranqüila e descontraída, e eu me sinto bem em sua companhia. Mas um jogo de futebol americano de secundaristas é demais para mim. Adoro os jovens, mas sou muito sensível a um estádio cheio da elétrica energia hormonal dos adolescentes.

Quando Ariel se sentiu sobrecarregada em um parque de diversões, procurei um canto tranqüilo e sentei-me ao seu lado para acalmá-la. Conversamos sobre o que ela sentia e compartilhamos um momento precioso entre mãe e filha. Eu a entendi perfeitamente. Como já estávamos no parque havia algum tempo, sugeri que voltássemos para o hotel e descansássemos.

Ariel insistiu para que, antes de irmos, visitássemos uma casa centenária localizada no parque. Estava tão entusiasmada com a idéia que concordei. Ariel entrou por um lado da casa, e eu, pelo outro. Ela surgiu sorrindo e me chamou.

– Mãe! Vem para este lado da casa! É onde tem mais energia!

Nós duas compartilhamos a mesma paixão por casas antigas. Adoramos ver os espíritos que moram nessas construções e ter uma amostra da época em que viveram. Para a minha pequena família tudo isso é normal, o que elimina qualquer monotonia de nossa vida. Sinto-me orgulhosa e honrada por partilhar os dons de minhas filhas e facilitar suas trajetórias.

Se você está tentando descobrir se algum de seus filhos é médium ou teve contato com o outro lado, preste atenção em alguns indícios que procurei nas minhas próprias filhas. Conheço bem os termos usados por uma pessoa com esse dom, assim como as perguntas que médiuns jovens ou inexperientes fazem. Afinal de contas, passei por isso.

Os critérios usados para determinar as aptidões de uma criança são os seguintes:

1. Seu filho, ou sua filha, alguma vez afirmou que uma sala parecia lotada, mesmo quando fisicamente não estava cheia de gente? Ele, ou ela, fica facilmente atordoado/a em alguns lugares?

As crianças sensitivas talvez sintam a presença de energia em torno delas, sem necessariamente verem alguma coisa. Às vezes a visão não está disponível para o médium, o que o deixa confuso, se ele está ouvindo, sentindo, cheirando ou experimentando o gosto de sinais vindos do outro lado. Isso é particularmente comum entre os médiuns jovens cujas aptidões não estão bem desenvolvidas.

2. Seu filho, ou sua filha, prefere evitar a presença de muitas pessoas em torno dele/dela por achá-la esmagadora?

Da mesma forma que ocorre com os adultos, as crianças sensitivas absorvem a energia de todas as pessoas ao redor delas, e essa energia, em grande quantidade, pode sobrecarregar seus sistemas.

3. Seu filho, ou sua filha, comenta que vê aparições? Ou que "vê coisas"?

Se seu filho, ou sua filha, for capaz de lhe dar informações detalhadas sobre um parente ou amigo íntimo que tenha morrido antes do nascimento dele/dela, é um sinal convincente de que ele/ela vê o outro lado. É claro que devem ser informações que nunca foram comentadas em casa, para que você tenha certeza de que vieram mesmo da percepção de seu filho ou de sua filha.

Por exemplo, quando Ariel tinha dois anos e meio, ela acordou no meio da noite nos chamando. Joe e eu fomos ao seu quarto e perguntamos qual era o problema. Ariel disse:

– Um homem esteve aqui e disse que era um geeeeniu.

Joe levou um susto:

– Você disse "gênio"?

Perguntei a ele de quem se tratava. Joe contou que seu pai se referia a si mesmo como gênio. Meu marido nunca mencionara esse fato para mim ou para as filhas. Meu sogro morrera três meses antes de nos conhecermos, e eu sabia muito pouco sobre ele. Joe emocionou-se e alegrou-se com a mensagem.

Ficamos convencidos de que Ariel tinha sido de fato contatada pelo avô, e conversamos com ela sobre o que acontecera. Não duvide dos encontros das crianças com os espíritos. Como os jovens são espontâneos e abertos, ficam mais acessíveis a contatos com o outro lado.

4. Seu filho, ou sua filha, descreve em detalhes o que vê? Ele/ela deve ser capaz de descrever características físicas, objetos importantes de uso pessoal, inclusive citar um nome. As crianças recebem informações claras e as transmitem tal como as receberam. Por exemplo, minha filha de seis anos me contou que a sua tataravó adorava seu banheiro com rosas e revestido de azulejos cor-de-rosa. Tive que perguntar à minha avó Jenee sobre isso, pois minha bisavó Ruth morreu quando eu tinha 13 anos. Vovó confirmou a descrição que minha filha fez do banheiro da casa onde moraram havia mais de cinqüenta anos.

Fui um personagem da primeira mensagem recebida por minha caçula. Fazia oito meses que meu pai tinha morrido, e ela acabara de completar quatro anos. Um dia, Marie pula na minha cama mostrando-me um desenho de duas pessoas feito por ela.

– Marie, quem são essas pessoas?

– É você, mamãe! E o vovô Mike! Vocês estão dançando juntos.

Eu não estava preparada para essa revelação.

– Querida, o vovô morreu.

– Não, mamãe, ele ainda está aqui; foi ele quem me disse.

Lembrei-me que, tal como eu quando vi meu avô Johnson aos seis anos, ela achava que seu avô Mike ainda estava vivo. É claro que de uma certa maneira nossos mortos estão vivos, mas as crianças não fazem diferença entre estar vivo em espírito e estar vivo na Terra.

Mais tarde, aparentemente do nada, Marie começou a repetir:

– Chá chá chá, mãe!

Fiquei chocada.

– Marie, por que você está dizendo isso?

Ela começou a dançar pelo quarto, repetindo o refrão.

– É por causa do vovô Mike!

Claro! Eu tinha esquecido. Meu pai sempre dizia isso.

Outro exemplo: na semana seguinte ao primeiro aniversário de morte do meu pai, fiquei muito deprimida. Como não queria impressionar minhas filhas com minha dor, fui para o quarto, onde fiquei um bom tempo quieta, pensando em nós dois. Não falei nada com elas. De repente, minha filha do meio, Bridgett, entrou devagarzinho no quarto, aproximou-se de mim e disse em voz baixa, como quem conta um segredo:

– Mãe, o vovô Mike não gosta quando você fica triste, e me pediu para te dizer que ele te ama.

Fui pega inteiramente de surpresa. Eu não tinha dito uma única palavra sobre meu pai. Isso é muito importante para mim: sinto-me recompensada sempre que uma de minhas filhas demonstra capacidade de ver o invisível.

5. Seu filho, ou sua filha, descreve fatos que mais tarde acontecem? Ele/ela consegue pressentir o local onde algo se encontra, sem as pistas tradicionais? A capacidade de prever fatos e identificar locais é uma prova marcante do dom mediúnico. Marie o demonstra freqüentemente de forma muito evidente.

Ariel também. Numa tarde, Joe e eu estávamos nos preparando para ir ao encontro de amigos em Tucson, cidade que minhas filhas não conhecem e que fica a duas horas de distância. Antes de sairmos, Ariel disse:

– Mamãe, olha o desenho que eu fiz para você.

Com uma caneta hidrográfica, ela havia desenhado em um quadro branco uma flor enorme de aparência exótica, com pétalas muito longas e finas. Ela chamou-a de flor italiana. Elogiamos sua obra e partimos. Encontramos nossos amigos e nos dirigimos para um restaurante italiano. Ao entrarmos, havia na parede um quadro enorme com o desenho de uma flor exótica com pétalas longas e finas. Joe e eu nos olhamos espantados. O quadro era idêntico ao que Ariel havia desenhado. O fato de tê-lo chamado de flor italiana tornou a experiência ainda mais significativa. Até o comprimento do caule era o mesmo. Foi fantástico.

Vou usar o exemplo de minha filha de quatro anos, Bridgett, para mostrar aos pais como são os médiuns bem jovens. Não se trata de previsão, mas simplesmente de saber que algo se encontra em um lugar sem usar os olhos para ver. É localizar objetos por meio da mediunidade.

Bridgett é especialista nesse assunto. Durante uma viagem com toda a família, estávamos no balcão de um restaurante esperando uma encomenda. O balcão ficava uns trinta centímetros acima da cabeça de Bridgett. Ela levantou a mão para o ar e pediu:

– Mamãe, mamãe, me dá uma dessas balas, por favor!

Antes que eu pudesse perguntar como ela sabia das balas em cima do balcão, três mulheres simpáticas, mas perplexas, fizeram a mesma pergunta. Sem responder, Bridgett pegou um banquinho, subiu nele e, dando uma espiada no balcão, viu o prato de balas. Então desceu e disse:

– Ora, tem um prato com balas lá em cima. Viu?

Quando saímos, perguntei como ela sabia das balas, se não as tinha visto. Bridgett respondeu:

– Não sei como, mas eu sei dessas coisas.

Um mês antes desse episódio, minha mãe viera para ficar com as meninas para que Joe e eu fôssemos fazer compras. Numa das lojas, tomei uma iniciativa inusitada: comprei um pirulito para enfeitar um presente de criança. Quando entramos na garagem de casa, Bridgett veio correndo e pediu, antes que eu abrisse a porta do carro:

– Mãe, me dá o pirulito?

– Mas eu não comprei nenhum pirulito para você – respondi.

– Mas eu sei que você tem um aí no carro.

– Como você sabe que eu tenho um pirulito no carro?

Bridgett não estava brincando.

– Não sei como, mas eu sei.

Bridgett é capaz de descobrir qualquer coisa; não se consegue esconder nada dela. Eu poderia contar uma infinidade desses casos, mas já deu para você ter uma idéia, não é?

Problema de aprendizado... ou um dom?

Por receber muitas mensagens sobre crianças com problemas comportamentais ou portadoras de TDAH (Transtorno de Déficit de Atenção e Hiperatividade), resolvi falar sobre esse assunto. Já vi situações em que os pais interpretam mal os sintomas dos filhos e chegam a uma conclusão falsa. Essa área é muito controversa e nem sempre as respostas vêm facilmente.

Crianças com TDAH ficam facilmente distraídas e são superestimuladas. Como têm problemas de concentração, suas notas são baixas. O cérebro fica muito acelerado. No entanto, isso não quer dizer que as imagens que se formam em sua mente vêm do outro lado. Não há relação entre poderes parapsicológicos e outros problemas comuns, como falta de atenção e depressão. Porém, na minha opinião, as crianças com esses problemas têm a mesma chance de possuírem o dom. Os pais não devem excluir ou acolher qualquer conclusão precipitadamente.

As crianças realmente médiuns são capazes de contatar parentes e amigos falecidos que portam uma energia positiva, o que não exclui a possibilidade de encontros com pessoas que morreram em circunstâncias mórbidas.

Volto a insistir: não partam logo para a conclusão de que a criança tem poderes mediúnicos que explicam seu comportamento estranho. Talvez ela esteja passando por um desequilíbrio químico, depressão, ansiedade ou simplesmente necessite de mais atenção. Recomendo que a criança seja avaliada por um médico ou psicólogo para se ter um diagnóstico correto que inclua ou exclua a possibilidade de um dom mediúnico.

Capítulo 6

Hormônios e médiuns adolescentes

Minha mãe se separou de meu padrasto quando eu tinha 12 anos, o que acabou virando minha vida de cabeça para baixo. A insegurança, que já é uma característica dos adolescentes, só aumenta quando há uma separação na família. Entretanto, adolescentes médiuns geralmente acham a adolescência ainda mais difícil do que os outros.

Todo adolescente já é refém dos hormônios. Suas emoções ficam à flor da pele e tudo toma proporções gigantescas. Misture uma percepção aguçada da consciência com a capacidade de literalmente ouvir o que as pessoas pensam a seu respeito, e você terá a receita de uma profunda infelicidade.

Devo confessar que na minha adolescência eu bebia para me sentir equilibrada. É óbvio que não estou sugerindo o álcool como solução, e sei que não foi a escolha certa. O ideal teria sido a compreensão dos pais e a comunicação com outros médiuns. Se eu tivesse tido apoio, viveria minha juventude de forma diferente.

Para mim, o álcool suavizava temporariamente as vozes do outro lado. Se eu tivesse uma cerveja na mão, ninguém notaria que eu ria para mim mesma em uma conversa solitária. Na verdade, não era um monólogo, pois eu nunca estava sozinha de fato.

Felizmente, eu estava atenta numa noite em que meus guias vieram para me dar o que pareceu no momento uma simples dica de decoração.

Eu tinha 17 anos e morava na casa da minha amiga Susie, que eu conhecia desde os dois anos de idade. Morando na mesma rua sem saída, nós nos tornamos as melhores amigas uma da outra e desenvolvemos uma deliciosa cumplicidade. A mãe de Susie, Shari, sempre foi uma segunda mãe para mim. Ela sabia da minha vida familiar e me deu o maior apoio naquele momento tão confuso da minha juventude.

Eu estava de manhã no quarto, preparando-me para sair, quando ouvi uma voz mandando que eu mudasse minha cama de lugar. Não pensei duas vezes: tirei a cama de debaixo da janela e empurrei-a para junto da parede oposta. Não sou uma decoradora criativa. Em geral, decido sobre a posição de um móvel e não mudo mais. Por um breve momento, tentei entender por que fizera aquilo, mas em seguida toquei minha vida.

À noite fui a uma festa e voltei para casa à uma hora da manhã. Estava tão cansada que literalmente desmaiei na cama.

No meio da madrugada fui arrancada do sono por um estrondo. Faróis ofuscantes, blocos de cimento despedaçado e a parte dianteira de um caminhão estavam no meu quarto! Pedaços de cimento aterrissaram na minha cama, e o quarto foi invadido por uma nuvem de poeira.

Saí da cama e percebi que havia uma mulher dentro do caminhão. Apesar de seu rosto estar sangrando, ela tentava engatar uma marcha a ré. Mais tarde, soubemos que a mulher, totalmente drogada, tinha atravessado três pistas e derrubado a cerca do quintal até invadir meu quarto.

De início fiquei indignada por causa do susto e do risco que correra. Quando me acalmei, tomei consciência da sorte incrível de estar viva. E sobretudo me dei conta de que, se não tivesse mudado minha cama de posição horas antes do desastre, o impacto do caminhão teria me matado. Na nova arrumação, o lado direito do caminhão ficou a trinta centímetros da minha cabeça.

Tive certeza de que mais uma vez uma força superior interferiu para salvar minha vida. Sem dúvida, eu era protegida. Da mesma forma que escapei de prováveis raptores aos 11 anos, agora também uma voz clara me falou e eu ouvi.

Muitos pais me procuram porque seus filhos adolescentes estão tendo visões apavorantes e ouvindo em suas cabeças informações que eles sabem vir de uma fonte externa a eles. Para adolescentes que vivem essa experiência, é essencial ter pais compreensivos.

Em primeiro lugar, acolha com seriedade o que seu filho, ou sua filha, lhe traz. Aceite que ele/a vê e ouve coisas que não fazem parte do que se chama mundo normal. Isso é fundamental para criar confiança. Depois conversem sobre o que ele/a está vendo e/ou ouvindo, e sobre o que isso pode significar. Tente comprovar se seu filho, ou sua filha, tem o dom, usando algumas das dicas que listei acima. É importante distinguir um caso de saúde mental de um dom mediúnico.

Recentemente, soube de uma adolescente que estava tendo visões e premonições de pessoas sendo feridas ou mortas. Suas visões eram bem detalhadas, e tudo o que ela via mais tarde acontecia. As informações detalhadas e o resultado comprovado serviram de confirmação do seu dom. O que ela via acontecia sistematicamente, mesmo desafiando todas as probabilidades. É o sinal mais óbvio de mediunidade.

A primeira coisa que os jovens precisam saber é que não são responsáveis pelo que vai acontecer. Ter um mau presságio não significa que você pode mudar o resultado. Até porque, muitas vezes, a situação negativa não deve ser alterada, pois tem uma razão de ser.

Isso não quer dizer que uma intervenção seja impossível. Vamos ver de que forma você, médium jovem, pode intervir e prolongar a vida de alguém.

Por exemplo, você tem uma visão de seu pai sofrendo um acidente de carro. Na visão, você o vê usando uma camisa vermelha e carregando seu equipamento de golfe. Na manhã seguinte, seu pai vai sair usando uma camisa vermelha e carregando o equipamento de golfe.

Detenha-o! Explique a ele o sonho que teve e peça que espere ou mesmo mude de planos. Talvez você tenha recebido uma forma de intervenção vinda do outro lado.

Mas, se sua visão for de uma ponte explodindo no Tibet, isto está fora do seu alcance. Peça a um poder superior que ajude os que estão na ponte precisando de uma energia positiva. Não internalize sua visão, pois a absorção da tragédia lhe fará pagar um alto preço fisicamente.

Geralmente os jovens médiuns não são ouvidos pelas autoridades competentes. No caso de um dos filhos ter uma visão extraordinariamente detalhada ou significativa, os pais do jovem médium podem entrar em contato com a polícia, informar que seu filho, ou sua filha, teve um "sonho" impressionante (é melhor falar de "sonho" do que de "visão") e que gostaria muito que a polícia verificasse os fatos.

Talvez a visão de seu filho, ou de sua filha, ajude alguém. De qualquer forma, ele/a se sentirá melhor só em transmitir a informação. As visões que não são comunicadas se acumulam no sistema, provocando estresse. Estimule sempre sua exteriorização.

É triste constatar que mesmo médiuns respeitados e experientes são ignorados freqüentemente pela polícia, quando levam informações detalhadas sobre ataques terroristas ou assassinatos. As autoridades têm muita dificuldade em diferenciar os legítimos dos charlatões. Previna seu filho, ou sua filha, sobre esse preconceito, dizendo que mesmo os médiuns mais competentes são vítimas dele. Nem todas as instituições policiais americanas descartam os médiuns, mas muitas ainda o fazem.

Os adolescentes devem pedir a seus guias que não lhes dêem mais do que eles são capazes de suportar. Recebemos em geral o que podemos suportar, às vezes um pouco mais. Se ficar excessivo, temos de pedir a nossos guias que limitem as mensagens e removam o peso que está nos sobrecarregando.

Nós, médiuns, precisamos sempre lembrar a importância da discrição. Só transmitir uma informação se ela for específica. Tomar cuidado para não descarregar informações nas pessoas apenas com o intuito de nos aliviarmos. A mensagem só deve ser transmitida para beneficiar o receptor, não para atender nossas necessidades. Se não for do interesse do receptor, peçam aos guias que os aliviem da informação. Escrevam, se necessário, em seus diários e depois esqueçam.

Comunique às autoridades apenas as informações que possam ser verificadas e que sejam úteis para prevenir ou comprovar um crime. Caso contrário, é totalmente inútil e mesmo prejudicial, pois reforça o preconceito. Se não houver dados específicos que estabeleçam a hora do crime ou identifiquem os envolvidos, a informação não é relevante para uma intervenção.

Se entrarmos em contato com a polícia toda vez que tivermos um pressentimento, vão deixar de nos ouvir. Seremos rotulados de charlatões e perderemos toda a credibilidade junto à polícia. É importante deixar essa porta aberta, no caso de podermos ajudar na solução de um crime.

É bom lembrar que nem todos os médiuns querem ajudar a solucionar crimes, e que isto é perfeitamente razoável. Eu particularmente, assim como outros médiuns, adoro colaborar em casos policiais. Cada um deve descobrir suas próprias aptidões para aperfeiçoá-las.

Há também momentos em que você deixa de usar a informação e pede a uma força superior que cuide da pessoa envolvida. Somos humanos, e nossa capacidade de ajudar os outros tem limites.

Os médiuns adolescentes devem aprender a manter sempre contato com seus guias. Peço a meus guias que não permitam que energias negativas ou malévolas entrem em contato comigo. Os guias são muito solícitos e fazem tudo para nos proteger. Pais, peçam a seus próprios guias que cuidem de seus filhos. Eu sempre peço. Sei que meus filhos são guiados, amados e protegidos por meus guias, assim como pelos seus.

Os adolescentes interessados em desenvolver suas aptidões deveriam praticar o contato com amigos ou parentes, mas lembrando-se de que nem todas as mensagens são importantes. Às vezes a pessoa que nos procura não quer que um assunto venha à tona e rejeita a informação. Levei um bom tempo para me dar conta de que, se eu revelasse algo que a pessoa quisesse esconder, ela provavelmente negaria o que me parecia evidente.

Essa foi uma lição difícil e dolorosa para mim, porque, apesar de eu ter absoluta certeza de que minha informação era verdadeira, a pessoa negava. Sei que sou competente. Depois de várias experiências desse tipo, percebi o que estava acontecendo. Às vezes a comprovação do que eu dissera vinha mais tarde, mas algumas vezes, quando eu já estava indo embora, o marido ou um amigo do cliente chegava a mim e confirmava a informação.

Atualmente, quando tenho certeza da minha informação, não permito que a negativa me atrapalhe. Eu a utilizo para entender a explicação escondida na informação. Depois a abandono. Se alguém ainda não está preparado para falar de um assunto em particular, tudo bem, mas não procure um médium se você quer esconder alguma coisa.

Às vezes os espíritos mostram aos médiuns imagens que nos fazem brincar de charada com o outro lado, e algumas vezes interpretamos erroneamente o que vemos. Por isso é importante descrever para o cliente exatamente o que vemos. Dessa forma, a informação é mais honesta e verdadeira. É um risco o médium interpretar a mensagem recebida, pois corre o risco de deturpá-la ou contaminá-la com sua própria subjetividade ou deduções.

Os adolescentes não devem se comparar com os médiuns retratados em filmes. Quando eu era jovem, sentia-me sem interlocutor e questionava se realmente tinha o dom. Olhava para os médiuns na televisão em busca de um traço comum, mas não conseguia encontrar.

Tenho consciência de que a descoberta e a aceitação de meu dom foram bastante retardadas em virtude da ausência de modelos em que me espelhar. Quero que todos saibam que há muitos executivos de ternos, com diploma universitário, que possuem aptidões parapsicológicas e mediúnicas. Há gente de todas as áreas – médicos, mães, comerciários, professores, corretores da bolsa de valores, músicos, crianças – que, aparentemente, não têm nada em comum, a não ser sua capacidade de se comunicar com os mortos e de ver coisas que ainda vão acontecer.

Se você é jovem e possui o dom mas não quer desenvolvê-lo, tudo bem. Desligar-se do outro lado requer um esforço, mas é possível. Se a decisão for consciente e você ignorar as mensagens, elas acabam inaudíveis. Não acredito que a pessoa perca o dom. Ele existe, mas se encontra inativo. Há um risco, porém, em afastar-se do dom. A pessoa pode ficar com os nervos à flor da pele, como se lhe faltasse algo.

A coisa mais importante que tenho a dizer a todas as crianças dotadas é exatamente o que eu mais queria ouvir: "Sei o que você está sentindo. Você não é a única, não está só, e um dia tudo isso vai ter sentido para você."

Para terminar este capítulo, quero ensinar-lhes uma das minhas formas favoritas de recuperar a paz. Visualize seu coração cheio de uma luz branca radiante que se expande até preencher totalmente o seu corpo e sair através de cada um de seus poros.

A luz branca existe para proteger e tranqüilizar. Faço esse exercício muitas vezes e sinto o quanto ele é benéfico.

Outro bom exercício é visualizar uma pessoa do outro lado com quem você tenha uma ligação especial. Peça a ela para segurar um balde onde você possa derramar todos os seus problemas, para que o espírito os leve embora. Os entes queridos que estão do outro lado adoram nos aliviar da ansiedade. Esse exercício também fortalece o relacionamento dos que se foram com os que ainda permanecem aqui.

Capítulo 7

Empatia

Refleti muitas vezes sobre a causa do meu estresse físico quando o espírito do meu avô se fez presente em 1978. Agora que sou médium adulta, conheço a razão. Não era pelo fato de ver alguém que estava enterrado. Eu me sentia fisicamente doente. Os colegas médiuns vão entender isso.

Quando pessoas altamente sensitivas ficam ao lado de doentes, elas sentem a doença. Meu bisavô acabara de morrer, e eu estava absorvendo a energia do câncer que havia provocado sua morte. Sempre que me comunico com um espírito que morreu de câncer, tenho a mesma sensação que experimentei quando da morte de meu bisavô, há 26 anos.

Agora que estou mais velha, fico sintonizada com essa sensação e freqüentemente sinto se o espírito foi consumido ou se estava doente. Também percebo o câncer quando entro em contato com um sobrevivente da doença. Ver as circunstâncias que circundaram a morte de alguém ajuda a comprovar sua presença para seus entes queridos e a compreender a causa de sua morte.

Você já notou como uma pessoa pode lhe passar imediatamente um sentimento positivo, enquanto outra lhe provoca arrepios com a mesma rapidez? Umas pessoas são boas, e outras, más; a maioria fica no meio. Em geral, as primeiras impressões são determinantes para confiarmos em alguém. Concluí, com o tempo, que a primeira impressão é de fato a mais precisa. Fique sempre alerta quando, no primeiro contato, você tiver um pressentimento marcante. Confie na sua intuição.

A atividade mediúnica não é novidade. Muitas pessoas exercitam o "sexto sentido" com freqüência. Na vida cotidiana costumamos nos pegar dizendo que temos uma sensação sobre tal coisa ou sentimos uma determinada vibração vinda de outra. Os juízes, médicos, mães, pais e professores usam o sexto sentido diariamente.

Algumas pessoas usam mais a intuição do que outras. Elas dão a impressão de viverem abençoadas, pois as coisas em geral dão certo para elas. Acredito que muitas delas são de fato abençoadas, graças, em parte, ao desejo de ouvir os seus sentimentos mais profundos, o que as ajuda a fazer escolhas acertadas e a saber o que e a quem evitar.

Outras preferem não ouvir esses sentimentos profundos e tomam um caminho mais longo e cheio de obstáculos. É um erro ignorar a própria intuição. A voz que nos guia quer o melhor para nós. Escute-a.

Algumas pessoas salvam a vida de outras por terem ouvido seus guias. Refiro-me a médicos e enfermeiras que fazem uso da intuição e empatia para curar os doentes e dar ao paciente o melhor tratamento possível. Como, por exemplo, pedir um exame atípico por terem sido levados a isso sem uma explicação mais clara ou manter o paciente uma noite a mais no hospital para qualquer eventualidade. A decisão não obedece a um raciocínio lógico, é simplesmente fruto de um sentimento intuitivo que inúmeras vezes se confirma.

É óbvio que a maioria das decisões médicas é baseada em informações e experiências bem fundamentadas. Eu as considero essenciais, mas reconheço que uma contribuição espiritual freqüentemente intervém no trabalho desses profissionais.

Se você pertence à área médica, não se esqueça de dedicar um tempo para si mesmo. Quando sair do hospital, limpe-se dos espíritos ligados à Terra. As pessoas que sofreram muita dor física ou trauma, assim como as que morreram repentinamente, se encontram em estado de choque após a morte. Muitas vezes, sobretudo em hospitais, os espíritos da Terra agarram-se a pessoas que lhes dão consolo. Alguns espíritos nem percebem que já morreram; acham simplesmente que estão passando um tempo com seu médico, enfermeira ou com um ente querido.

Mesmo que você não acredite que existam espíritos à sua volta, não custa dizer: "Vá para a luz, onde seus entes queridos esperam por você." Isso evita que eles fiquem ao seu redor, empurrando-o para baixo.

Lembre-se também de não se culpar quando, apesar de toda a sua dedicação, seu paciente acaba morrendo. Como já disse, às vezes as rédeas não estão em nossas mãos.

A polícia é outra área em que se age por intuição. Os profissionais dessa área muitas vezes levam trabalho para casa, pois estão sempre envolvidos com criminosos e espíritos do mal. Se você trabalha na polícia, é importante saber que toda a energia negativa absorvida vai cobrar um preço da sua saúde. Não deixe também de reservar um tempo para dedicar-se a si próprio, concentrando-se em coisas felizes e positivas.

É evidente que esse conselho serve para todos os que se deixam dominar pelo estresse da vida. Para os que têm trabalhos estressantes e sofrem a pressão de um excesso de atividades – a maternidade está incluída nessa categoria –, é essencial cuidar-se.

Capítulo 8

Vida sofrida, despedida tranqüila

Uma de minhas experiências mais marcantes com o outro lado aconteceu em maio de 2000, em Washington, onde me encontrava por conta de uma conferência. Os muitos e notáveis monumentos me hipnotizavam, e eu tinha um interesse especial em visitar o Monumento aos Veteranos do Vietnã. Numa tarde, Joe e eu saímos com esse propósito.

Pegamos o caminho que leva ao muro do monumento em mármore negro. Sentados de frente para o espelho-d'água, compartilhei com meu marido o que via. Duas aparições de soldados americanos na margem da água, um ajoelhado e outro de pé. O soldado ajoelhado estava mais perto de mim, a cerca de seis metros de distância, com o revólver pousado no chão ao seu lado.

Apontei para o local onde o soldado estava de joelhos e comecei a descrever a cena para Joe. Nesse momento, o soldado rapidamente virou-se para mim, consciente de que eu falava dele. O espírito preso à Terra se aproximou e, a poucos centímetros de distância, acenou fortemente com a mão diante do meu rosto.

Eu me voltei para ele e disse: "Sim, estou vendo você."

Assim que proferi essas palavras, o soldado, a quem vou chamar de Sarge, começou a me mostrar o que tinha acontecido com ele no Vietnã. Uma história que ainda o assombrava.

As imagens que Sarge me mostrou pareciam as de um filme amador. Vi uma cabana de sapê com uma mulher dentro. Ele se encontrava atrás de uma árvore ou arbusto, num pequeno aterro, olhando para ela. A mulher era vietcongue, e armara emboscadas para matar soldados americanos. Sarge deveria jogar uma granada na cabana e acabar com o "inimigo".

Ele era um bom soldado. Queria ajudar seu país a vencer a guerra, e para tanto teria que cumprir ordens. Matar o inimigo significava salvar amigos e companheiros. Quando a granada estava em pleno vôo, Sarge ouviu o choro de um bebê. Devia ser filho da mulher. A cabana, a mulher e o bebê foram destruídos na explosão.

Sarge desejava ser um bom soldado, mas para ele isso não incluía matar crianças. Por isso, não conseguia se perdoar. Sua culpa era tamanha, que ele se colocou na linha de fogo. Não conseguia viver com o peso da morte de uma criança inocente na consciência. Achou que sua vida não valia mais nada e que o mínimo a fazer seria trocá-la pela de um companheiro. Dessa forma, Sarge conseguiu pôr um fim em sua vida.

Meus guias me aconselharam a dizer o que ele precisava ouvir. Olhei para Sarge, tentando me recompor, e falei: "Eu o perdôo, nós todos o perdoamos, e sabemos que você não quis matar aquele bebê."

O rosto jovem de Sarge, desfigurado pela dor, subitamente relaxou e sua pele adquiriu um brilho dourado. Pude fazer por Sarge o que ele não conseguiu fazer por si próprio: conceder perdão. Sarge sorriu e deu um passo para trás. Ao mesmo tempo, figuras fugazes de sua família, amigos e camaradas que o esperavam há muito tempo vieram para "levá-lo para casa".

Sarge era um jovem sensível, com muitos questionamentos sobre o certo e o errado. Contei sua história para que outros possam aprender a se perdoar pelos erros na vida, sabendo que, quando morremos, carregamos nossos arrependimentos. O perdão nem sempre é fácil, mas é absolutamente vital para nossa existência.

Sarge me forneceu sua patente e seu nome completo. Joe e eu procuramos por ele no livro dos nomes no monumento e o encontramos.

A história de Sarge também é importante para pessoas que perderam parentes, amigos e amores na guerra. Quando se fala com os espíritos dos entes queridos ou se visita um monumento de veteranos, os que estão do outro lado podem ouvir nossas palavras.

Os soldados do outro lado, que morreram por seu país, gostam de receber as homenagens dos visitantes e de seus companheiros sobreviventes. Sinto-me feliz por ter aliviado o fardo de um jovem idealista e corajoso como Sarge, e nunca vou me esquecer de meu encontro com ele naquele dia quente de maio.

~

Minha intenção inicial era limitar este capítulo à minha experiência com Sarge. Contudo, disse a Joe que, por algum motivo, sentia que ele não tinha sido concluído e que esperaria por um fato que o desse por terminado.

Seis meses depois, no dia 11 de setembro de 2001, os Estados Unidos sofreram um ataque. Dezenove terroristas árabes seqüestraram quatro aviões comerciais e provocaram uma devastação em nosso país. Todos nós choramos ao assistir às pessoas desesperadas em busca dos entes queridos desaparecidos. Formamos uma frente unida quando choramos por pessoas que nunca conhecemos. A tristeza coletiva e a extensão da perda foram arrebatadoras.

Não sou uma mulher especialmente emotiva nem exteriorizo minhas emoções com facilidade. Eu me solidarizo muito com as pessoas, mas guardo os sentimentos só para mim.

Lembro-me de estar sentada na beira do sofá com os olhos fixos na televisão, impressionada com as conseqüências trágicas dos desastres no World Trade Center e no Pentágono, profundamente ligada aos acontecimentos e à dor que provocaram.

Sempre me perguntam se todas as pessoas têm algo de bom lá no fundo delas. Minha resposta é não. Acho que a imensa maioria das crianças tem o bem dentro delas, mas é um bem que precisa ser estimulado. No entanto, os adultos são diferentes. Em algum momento, entre a infância e a vida adulta, somos capazes de perder nosso senso de justiça e responsabilidade, se não tomarmos cuidado. Nesse sentido, Osama bin Laden me mete medo, porque é um louco. É o tipo de pessoa com quem se torna impossível estabelecer um diálogo.

Quero que as famílias e amigos dos que morreram nesse ataque terrorista covarde saibam que as vítimas não estavam sozinhas quando morreram. Seus parentes no outro lado atenderam-nas quando foram chamadas e acolheram-nas ao chegarem. Do outro lado, mães, pais, avós e outros levaram seus entes queridos rapidamente para casa, com muito carinho. Em alguns casos houve uma intervenção que salvou vidas, como as de pessoas que chegaram atrasadas ao trabalho por causa de engarrafamentos ou outros problemas.

Enquanto eu assistia às torres caírem, tive uma visão. Vi uma mulher usando saia e blazer, encolhida no chão ao lado de sua mesa. Estava aterrorizada e rezava, enquanto o prédio desmoronava à sua volta. Fiquei com ódio por ela ter de morrer dessa forma. Nesse momento, vi uma luz dourada fortíssima e reconfortante descer do teto em direção a ela e, à medida que descia, tomar a forma de uma mão. Nesse breve gesto de amor, o medo da mulher foi dissipado e ela soube que não estava mais só.

Há médiuns que não escrevem sobre esses temas por acharem que há uma ligação com religião. Eu não me importo, mesmo porque a mão não estava usando um símbolo religioso. Ela pertencia a um deus cheio de compaixão. A mão dessa força superior cobriu pessoas e ajudou outras a correrem, protegendo-as da morte certa. Talvez não compreendamos por que alguns vivem e outros morrem, mas isso não significa que não haja um plano que está além de nós.

Os ataques transformaram os Estados Unidos de muitas formas. Algumas delas são bênçãos disfarçadas. Por exemplo, muitos dos que perderam seus empregos se questionaram depois sobre o rumo de suas vidas e buscaram maior realização espiritual.

O 11 de setembro promoveu essa revisão de vida e uma mudança de rumo em muitos casos. Nunca é tarde demais para escolher um novo caminho. Na minha opinião, a pior coisa que se pode fazer com a vida é desperdiçá-la. Quando uma boa idéia surgir na sua cabeça, não a descarte. Ouse assumir o que você elege como importante e seja firme para enfrentar os negativistas.

Quando penso na minha vida, sinto-me muito realizada e abençoada por fazer o que faço. Inúmeras vezes ouço a pergunta formulada num tom cético ou até mesmo zombeteiro: "Você realmente acredita que as pessoas continuam existindo depois da morte?"

Sempre respondo: "Claro, pois constato isso a partir da minha própria experiência." E quando ouço alguém afirmar "Sou cético, não acredito na vida após a morte", penso que os céticos vão ter certeza de que ela existe quando morrerem. Não tenho a menor dúvida!

Sou alvo de muitas censuras, mas suporto-as com serenidade. É um preço baixo a ser pago por ter sido abençoada com um dom tão especial.

CAPÍTULO 9

Pequenas coisas

Resolvi incluir este capítulo para compartilhar com vocês algumas coisas aparentemente pequenas em que geralmente não prestamos atenção, achando-as naturais. São justamente aquelas que mais valorizamos depois da morte de um ente querido e que freqüentemente fazem a nossa conexão com o outro lado. Ser capaz de dar o nome da pessoa falecida é bom, mas os pequenos detalhes ligados a essa pessoa confirmam a autenticidade da conexão com ela no outro lado.

Foi somente depois de inúmeras sessões que percebi a importância das pequenas coisas, pois o que parece insignificante para a maioria pode ser uma informação valiosa e tranqüilizadora para outros. As informações que vou transmitir foram colhidas nas sessões, depois que meus clientes visitaram seus entes queridos já falecidos. Todas as sessões me emocionaram, e cada uma me ensinou algo novo sobre o que é ser médium.

Algumas vezes, uma informação não faz sentido para o cliente na hora em que é transmitida, causando perplexidade. Mas, em geral, depois de duas semanas, costumo receber um telefonema ou cartão do cliente, narrando uma história que lança luz sobre os detalhes anteriormente incompreendidos. Novas experiências ou descobertas deram sentido à informação transmitida por mim.

Em outras situações, forneço o primeiro nome, sobrenome,

cidade, modelo do carro, pratos preferidos do espírito enquanto estava vivo. Depois de todos os meus esforços para fornecer as informações mais relevantes, o que de fato importa e promove a descoberta é um detalhe. Uma das coisas que aprendi sobre o outro lado é que são as pequenas coisas que têm o poder de derrubar as barreiras mais sólidas da descrença.

De mãos dadas com o outro lado

Uma vez recebi uma jovem de 16 anos, bonita e vibrante, que vou chamar de Lisa. Ela tinha acabado de perder a melhor amiga, que vou chamar de Kim, em um acidente de automóvel horroroso. Durante a sessão, Kim veio e transmitiu muitas mensagens significativas para Lisa, dando detalhes sobre locais onde se encontravam e chegando a dizer que o namorado atual da amiga não estava à altura dela.

Lisa queria se certificar da minha competência e para isso lançou nomes, pedindo-me para comentar sobre as pessoas. Não me importo de ser testada. Prefiro receber poucas informações para que o cliente sinta o impacto daquelas que transmito. Além disso, gosto de desafio, desde que não seja fruto do ódio. Ao desconfiar que sua amiga não estava entendendo a mensagem de forma satisfatória, Kim me forneceu uma informação para atrair a atenção de Lisa. Virei-me para ela e perguntei:

– Lisa, quem é número 11? Me mostraram uma camisa de atleta com o número 11 nas costas.

Lisa parou e disse:

– Sou eu. Sou número 11 no time de basquete da escola.

Dessa forma, duas grandes amigas que faziam tudo juntas até serem separadas pela morte puderam se reconectar. Expliquei a Lisa que Kim me passara a informação para que a mensagem a convencesse. Kim ainda protege Lisa e a ama. Lisa não duvida que Kim tenha partilhado da nossa companhia naquela tarde e que ainda a acompanha vida afora.

Mãe

Muitos dos meus clientes perderam o pai ou a mãe. É difícil separar-se dos pais. Ou você teve a sorte de ter vivido um bom relacionamento e agora sente saudades ou eles eram ausentes e você precisa de uma conexão para concluir a experiência. É perfeitamente compreensível que as duas situações sejam dolorosas e exijam um fecho.

Rick é um homem corpulento e simpático que me cativou imediatamente. Ele entrou em minha casa animado, mas hesitante. Ao nos sentarmos para a sessão, contou-me que sua mãe tinha acabado de morrer. Ele sentia muita dificuldade de lidar com a sua perda, porque era carreteiro e, quando ela morreu, estava viajando, longe de casa. Eu disse:

– Sua mãe está me provocando uma dor de cabeça interna e externa. Faz sentido para você? Talvez ela tenha tido um aneurisma e bateu com a cabeça numa mesa ou em outra coisa ao cair.

– É, ela teve um derrame no banheiro e bateu com a cabeça na pia quando caiu – ele contou.

– Bem, ela não quer que o marido leve a culpa; ela insiste que não foi por causa dele.

Rick mencionou que alguns parentes culparam seu pai.

– Estou vendo continuamente uma mesa de roleta – falei com cuidado, esperando não ser mal interpretada. Às vezes um assunto que surge na sessão, como um caso amoroso ou uma compulsão para o jogo, pode ser ofensivo, principalmente quando diz respeito à mãe da pessoa. – Ela queria ir a Las Vegas, ou esteve lá recentemente?

– Esteve – ele respondeu com um olhar impressionado.

Rick disse que a mãe acabara de chegar de Las Vegas no dia em que morreu. Desfez a mala, guardou-a, entrou no banheiro da suíte, teve um derrame e morreu. Logo depois, o pai de Rick chegou do trabalho e teve a impressão de que não havia ninguém em casa, pois as luzes do quarto estavam apagadas. Foi para a cozinha preparar alguma coisa para comer, sem perceber que sua mulher estava no banheiro, impossibilitada de pedir ajuda.

Isso tudo deixava Rick perturbado, ao pensar na morte da mãe. Ela, por sua vez, estava se comunicando diretamente do outro lado, procurando aliviar a família do peso da culpa e da frustração.

– Rick, sua mãe tinha uma mesa redonda com uma tigela de frutas em cima?

– Tinha, e agora ela está comigo.

– Sua mãe ainda se senta ao lado da mesa. Ela diz que é o momento em que vocês ficam juntos.

Os olhos de Rick se encheram de lágrimas. A mãe então falou o nome de uma mulher, Susan, pedindo que eu dissesse a Rick que elas estavam juntas. Pediu ao filho que telefonasse para a mãe de Susan e dissesse que sua filha estava bem e em companhia dela.

Rick não teve plena consciência do significado da mensagem naquele momento, mas ficou feliz em ouvir o nome de Susan. Partiu dizendo que retirara um grande peso das costas.

Ele me ligou no dia seguinte, contando que telefonara para a mãe de Susan na Flórida. Falou lhe sobre a sessão e deu-lhe a boa notícia de que Susan estava com a mãe dele e muito feliz. A mãe de Susan começou a chorar, dizendo que estivera pensando na filha a semana toda. No dia seguinte seria o seu aniversário de morte. Também disse que costumava falar com Susan, porque sentia muita saudade dela e tinha esperança de estar sendo ouvida. Sem dúvida, Susan respondeu-lhe.

O telefonema de Rick confirmou para a mãe de Susan que sua filha ainda estava ao seu lado. Não foi coincidência Rick ter telefonado justamente na véspera do aniversário da morte de Susan.

Rick e sua mãe estão conectados nesta vida e na vida após a morte. Da mesma forma que Susan e sua mãe. O vínculo mãe-filhos nunca é quebrado.

Eu acredito

Nunca sei o que esperar de uma sessão de grupo. Às vezes, os participantes têm tanto em comum que me dou conta de que há um tema geral do grupo. Em outras, um participante que não sabe exatamente como foi parar no grupo decide permanecer como observador. Invariavelmente o observador é integrado quando um visitante do outro lado insiste em mandar uma mensagem.

Um caso que me vem à cabeça é o de George, um bonitão de meia-idade. Quando o cumprimentei, George sorriu e disse:

– Preciso lhe dizer que sou cético.

– Tudo bem – respondi. – O importante é estar de olhos abertos, sem querer dar obrigatoriamente um sentido às informações que virão.

O primeiro espírito que apareceu foi o do avô de George. Quando lhe disse isso, ele me perguntou qual dos avôs.

– Seu avô está me mostrando a cidade de Nova York, e isso talvez queira dizer que ele era de lá ou que a cidade era importante para ele – respondi.

George refletiu um pouco e disse:

– Acho que não.

Repeti que ele não devia forçar nada, mas George me interrompeu:

– Ah, espere, meu avô entrou neste país pela ilha Ellis, em Nova York.

Descrevi seu avô e mencionei seu gosto por suspensórios, deixando George contente. Forneci mais informações sobre sua família e acabei acrescentando outros detalhes sobre o avô.

– Tudo o que você falou estava correto, menos o fato de que meu avô jogava damas. Ele não jogava damas – George afirmou.

Expliquei-lhe que eu transmitia o que recebia e que provavelmente mais tarde essa informação faria sentido para ele. Passadas duas semanas, recebi um telefonema da noiva de George, que o havia acompanhado na sessão de grupo. Contou-me que os dois estavam fazendo compras, quando se depararam com um tabuleiro de damas numa vitrine. Ao notar que o noivo tinha os olhos fixos no tabuleiro, ela quis saber em que ele estava pensando. George contou:

– Quando eu era pequeno, meu avô me levava ao parque, me dava 15 centavos para que eu desaparecesse e ele pudesse jogar damas.

George ficou espantado ao perceber que se esquecera daquela fase de sua infância. Tenho certeza de que o avô de George o ajudou a juntar as peças, pois queria convencer o neto de que sempre esteve, está e estará com ele. Mais tarde, George me enviou um cartão lindo dizendo: "Eu acredito." Obrigada, George. Sua mensagem significa bem mais do que você pensa.

Finais felizes

Algumas pessoas fazem das sessões de grupo um programa familiar. Uma jovem admirável, chamada Barbara, apareceu com sua irmã, Jen, e a tia para uma sessão de grupo. No decorrer da sessão apareceu o avô falecido, insistindo para que eu transmitisse imagens para as netas. Eu disse a Barbara e à família que o avô estava falando de histórias infantis:

– Ele está dizendo que lia contos de fada para vocês e me mostrando um caminho sinuoso que leva a um castelo no alto de um morro.

As três foram pegas de surpresa. Barbara disse que, no caminho, ela se lembrara dos contos de fada que seu avô costumava contar quando ela e Jen eram pequenas, e dissera à tia, que estava no carro com ela, que gostaria que ele pudesse voltar para contá-los. Elas se deixaram levar ternamente pelas recordações e concordaram que os contos de fada as convenceriam de que o avô estava perto delas.

A irmã de Barbara, Jen – que viera em outro carro –, mesmo sendo a cética do grupo, ficou absolutamente espantada. Ela disse que a caminho de minha casa pensara no avô e lhe pedira que, se ele aparecesse na sessão, confirmasse sua presença falando sobre as histórias que lia para ela quando criança. Jen teve certeza de que seu avô se encontrava lá naquele dia, com o livro nas mãos. As três mulheres sentiram a mesma conexão afetiva com o avô e não tiveram dúvida de que ele estava com elas quando se dirigiam para a sessão.

Reunião das mentes

Uma vez, Joe e eu saímos para jantar com um casal fantástico, Carol e Randy, meu cético preferido. Para me testar, ele perguntou:

– Qual é o meu número de sorte?

Respondi de imediato que era seis.

– Ela está certa; é seis! Uma vez joguei e ganhei com o número seis. Desde então é o meu número de sorte.

Rimos e Randy brincou dizendo que ia me levar para Las Vegas. Então, Carol me perguntou:

– Allison, tenho um amigo chamado Brian. Qual é o nome da mulher por quem ele vai se apaixonar?

Não hesitei:

– Ann.

Ela ficou de queixo caído e disse que tinha acabado de apresentar uma colega de trabalho a Brian. O nome dela? Anna.

Mais tarde, soube que o casal, que acabara de se conhecer naquele momento, tinha se apaixonado. Depois disso, Randy nunca mais duvidou de minha capacidade.

Randy morreu subitamente em novembro de 2002, vítima de um ataque cardíaco. Agora meu cético preferido me envia mensagens do outro lado.

Estrela cadente

Gosto muito de dar a quem me procura sinais das pessoas falecidas, para que possam ter certeza de que seus entes queridos estão presentes. É importante haver uma confirmação pessoal. Fiz uma sessão para a viúva de um piloto que tinha morrido em um acidente de avião. Após algumas semanas, ela me recomendou à sua cunhada. Durante a sessão com Cris, a irmã do piloto, duas coisas muito especiais aconteceram. Uma delas foi quando Cris me perguntou sobre o que tinham falado em sua última conversa. Respondi que ele a convidara para ser madrinha de sua filha.

Cris ficou calada, profundamente impressionada, pois aquele fora realmente o último pedido de seu irmão. O segundo presente que ela recebeu do irmão foi um sinal: sempre que ela visse uma estrela cadente, ele estaria por perto.

Um tempo depois recebi um e-mail de Cris. Estava emocionada. Disse-me que até então nunca tinha visto uma estrela cadente nem sabia onde encontrá-la.

Contou que no dia de Ação de Graças ela estava na sala brincando com sua afilhada. A menina segurava uma varinha de condão que tinha uma estrela na ponta. Olhou para a tia e se preparou para jogar a varinha em sua direção: "Tia Cris, lá vai uma estrela cadente!"

Imediatamente, Cris pensou no que o irmão dissera: "Quando você vir uma estrela cadente, pense em mim, pois vou estar ao seu lado."

O irmão enviou a mensagem por meio da filha, que é parte dele e que Cris ainda pode tocar. Ela tem certeza de que o irmão passou aquele dia com a família e que vai estar sempre por perto.

Dedique-se a pensar nas pequenas coisas que são importantes para você. Quais são os detalhes que você valoriza em seus seres amados? Se alguma vez precisar de uma confirmação de que existe vida após a morte, releia este capítulo e saiba que a vida é muito maior do que aquilo que se vê na superfície.

Capítulo 10

Os dotados

Vivem me perguntando qual é a minha sensação ao ver os mortos. Então resolvi abordar esse assunto para que possam compreender melhor a minha vida e a de outros médiuns. Em primeiro lugar, volto a repetir que ser médium é de fato um dom que valorizo acima de tudo.

Por outro lado, não é fácil ser médium. Como tudo, tem seus prós e contras. Ser médium é ao mesmo tempo uma bênção e um desafio.

Para começar, estou sempre sendo minuciosamente observada pelos outros, o que muitas vezes invade minha privacidade. Sou também alvo de preconceito e animosidade. Além disso, há sempre uma expectativa de que pessoas como eu estejam disponíveis para ajudar ou divertir os outros.

É desconfortável ser vista como um ser especial, e não é sempre que nós, médiuns, gostamos de falar de trabalho ou de dar conselhos durante o nosso lazer. Adoramos fazer programas sociais onde somos simples convidados e pessoas normais no meio dos outros. Quer uma ajuda? Telefone para mim na segunda-feira.

Quanto ao chamado, mesmo quando jovem eu queria entender por que aquilo que exercia uma grande força de atração sobre mim impressionava tanto os outros. A perplexidade por causar estranheza era um sentimento difuso, mas muito real. Conheci outros médiuns que tiveram experiências semelhantes na infância. Fico consolada em saber que pelo menos uns poucos entendem o que sinto.

Nenhum modelo para me espelhar

Como meus pais eram separados, eu via meu pai apenas aos sábados. Ele me levava ao cinema e depois almoçávamos. Eu gostava de estar com ele. Tenho certeza de que vi todos os filmes de meados da década de 1970 ao final da década de 1980. Sempre tive curiosidade por fantasmas e adorava os filmes sobre o outro lado.

Como já contei, infelizmente eu não me identificava com os médiuns que apareciam na maioria dos filmes. Não via ninguém que se parecesse comigo. De vez em quando havia filmes em que crianças podiam ver espíritos, porém elas nunca eram apresentadas como dotadas. Mesmo as aparições eram momentâneas. Diante desse quadro, a visão de fantasmas era mais obra do acaso do que um dom.

Quando eu era pequena, meu filme preferido sobre espíritos contava a história de uma boneca de vidro em um sótão e do espírito de uma menininha que precisava concluir sua desencarnação. A trama se baseava na busca que umas crianças vivas empreendiam para descobrir o que tinha acontecido a uma menininha que morrera muitos anos antes. Elas tentavam comunicar-se com ela e descobrir as circunstâncias de sua morte. As crianças podiam ver e ouvir a menininha no outro lado, o que para mim fazia sentido.

O melhor do filme é que as crianças que podiam ver o espírito da menina eram normais, e não esquisitas. Eu sentia um interesse enorme nessa ligação com o outro lado. Os cenários que apareciam no filme se tornariam mais tarde lugares-comuns em minha vida. Meu espírito estava recebendo combustível para se conectar com a vida depois da morte.

Durante toda a minha infância, percebi em mim um interesse crescente em estudar a mente dos criminosos. Muito embora eu só viesse perceber isso na vida adulta, lembro-me de que eu costumava assistir na televisão a tudo que abordasse homicídios reais. Minha mente recebia as informações que preenchiam as lacunas sobre os assassinatos, tais como imagens do criminoso, armas, nomes, lugares e motivos. Mais tarde percebi que tinha capacidade de fazer o perfil de criminosos. Especializei-me em investigar a mente humana com esse propósito. Consigo identificar o motivo que levou ao crime, a emoção presente, assim como o resultado de seus impulsos.

Meu dom

A idéia do desconhecido é perfeita para os que preferem crer que quando morremos viramos comida para vermes. Acreditando nisso, eles ficam dispensados de uma reflexão espiritual ou pessoal que talvez seja dolorosa. Além do mais, as pessoas com essa mentalidade correm o risco de não se importar com as conseqüências de suas atitudes para com os outros. Uma vez eu estava assistindo a um espetáculo e um idiota bastante conhecido (de quem não vou revelar o nome) me disse:

– Bem, eu sei que os espíritos existem, só que não consigo ouvi-los ou conversar com eles.

– É claro que não! Só se você fosse médium – respondi.

Será que esse conceito é tão difícil de ser apreendido? Se todos pudéssemos ouvir e falar com os espíritos, seríamos todos médiuns. Para mim não há diferença entre nascer com este ou com outros dons extraordinários. Por mais que eu estude canto, nunca vou cantar como Ella Fitzgerald, nem chegar perto. Por mais que eu me empenhe nos estudos, nunca vou ter a cabeça de Albert Einstein. Por mais que algumas pessoas tentem, elas nunca vão ver ou falar com os espíritos. É essa diversidade que torna o mundo tão interessante.

Acho necessário abordar alguns conceitos falsos sobre nós para que as pessoas possam compreender melhor o que é ser um médium. Por vezes, podemos parecer frios ou desinteressados durante as sessões, mesmo quando transmitimos informações vindas de seres cuja morte causou muita dor. Fazemos isso para garantir a transmissão correta das comunicações do outro lado e não nos envolver emocionalmente durante a sessão. Luto contra esse envolvimento, pois sei que, quando começo a me emocionar, perco a concentração, o que pode prejudicar a clareza da minha conexão com o outro lado.

Muitos fazem um julgamento errôneo dos médiuns que acreditam na precisão das mensagens que transmitem, considerando-os arrogantes. Na verdade, eles tiveram que acreditar muito em si mesmos para poderem perseverar. O verdadeiro médium nunca é arrogante. O que acontece é que os médiuns se sentem seguros quando percebem a exatidão de suas informações e certificam-se de que estão no caminho certo.

Os médiuns mais jovens precisam se sentir seguros quanto à comunicação, mas também devem se lembrar de ser humildes e honrar aqueles que evocam, pois os espíritos estão compartilhando sua vida pessoal. Os médiuns não passam de mensageiros, não são milagrosos. Nosso objetivo principal é ajudar e guiar os outros, não nos exibirmos.

Encontro conforto e aceitação junto à minha família, a pessoas a quem proporcionei um encontro com seus entes queridos falecidos, àqueles que possuem o mesmo dom e a meus guias. Não há dúvida de que você pode escolher ignorar seu dom, mas aceitá-lo é certamente muito mais natural.

Lembre-se de que a atividade do médium não se aprende na escola nem se compra. Ela é um dom. Como já disse, todos possuem um talento específico; o meu é falar com os mortos, e gosto disso. Os que partiram não têm todas as neuroses dos vivos e, portanto, é muito mais fácil comunicar-se com eles.

Quando me preparo para uma sessão particular, sei que o outro lado está presente quando minhas mãos ficam rapidamente geladas. Vejo isso como um aperto de mão com o outro lado. Levei algum tempo para me acostumar. Muitas vezes, nesses momentos, coloco minhas mãos nas mãos de meu marido, que as aquece para mim. Ele também possui muitos talentos.

É importante ter um mentor ou um médium para nos ajudar. Tive muita sorte em encontrar um mentor. Catherine é uma astróloga médium-sensitiva especialmente dotada. Encontrei nela a professora perfeita que me levou a entrar em contato com meu dom de forma natural, fazendo-me sentir à vontade e ajudando-me a encontrar meu estilo próprio.

De uma maneira geral, somos bastante normais. Adoro jogar boliche, ir ao cinema, comer pipoca, ligar meu som e assistir a filmes de terror, porque não são verídicos. Não passo horas de meus dias meditando, pois, apesar de saber das vantagens da meditação, não tenho paciência. Geralmente medito durante cinco minutos e peço a meus guias que as comunicações cheguem em alto e bom som, para que eu possa ajudar meus clientes.

Entrei na universidade para ser promotora. Fiz estágio na divisão de homicídios da Promotoria. Eu tentava ignorar meu dom e trilhar o caminho mais fácil para ser reconhecida e respeitada. Meus guias tentavam me dissuadir daquele caminho, argumentando que o meu era outro e que eu não seria advogada, porém não lhes dei ouvido.

Ao contar tudo isso, penso naqueles que sentem que sua vida está tomando um rumo diferente do que querem. Tampei meus ouvidos e cantei em voz bem alta para abafar a voz dos meus guias. Saltei todos os obstáculos e fiz todas as provas do vestibular de

Direito, porque, afinal de contas, tinha decidido fazer o curso, e que não me amolassem! Depois de seis meses, uma barreira mais alta do que minhas pernas havia se erguido diante de mim. Finalmente, entreguei os pontos e disse a meu marido, olhando em seus olhos: "Eu não tenho que fazer a Faculdade de Direito." Joe já andava se perguntando quanto tempo eu levaria para sacar isso.

Já aceitei o fato de que não há uma demanda grande para promotores médiuns-sensitivos. Então, resolvi responder ao meu chamado e aceitar o maior número possível de desafios, testando o limite da minha aptidão.

Ainda sou humana

Uma desvantagem de ser médium é que todos acham que você deve saber absolutamente tudo.

Você conhece a sensação de ser vista como sabe-tudo? Se a lava-louça quebra, logo lhe perguntam: "Você não pressentiu que isso ia acontecer?" Se sua filha escorrega e cai, comentam: "Por que não previu isso; você não é médium?"

Em primeiro lugar, nem sempre estamos atentos. Temos nossas ocupações, pois afinal não passamos de seres humanos. Além disso, os médiuns não vêem tudo. Sim, possuímos um sexto sentido, mas, se nossos cinco sentidos restantes são passíveis de falha, por que o sexto sentido não pode falhar?

Os médiuns são passíveis de todos os defeitos dos seres humanos normais. Por exemplo, somos capazes de nos enganar quando achamos que vimos alguém conhecido e finalmente descobrimos que era outra pessoa. Às vezes, não conseguimos ouvir claramente o que estão nos dizendo. Muitas vezes, achamos que ouvimos o nosso nome ser chamado e descobrimos que era a televisão ligada no andar de baixo. Ou então não conseguimos nos lembrar onde deixamos determinado objeto.

Às vezes, os sentidos humanos nos confundem. Há ocasiões em que você não consegue identificar um cheiro ou os ingredientes de um prato. Isso também ocorre com o sexto sentido. Eu tive a visão de uma cliente ao lado de uma placa de "Vende-se". Perguntei se ela estava vendendo a sua casa. Ela disse que não. Mas eu continuava vendo a placa. Finalmente, perguntei-lhe: "Você está querendo ser corretora imobiliária?" Ela respondeu que sim, que ultimamente andava pensando nessa atividade.

Eu lhe disse: "A mensagem está bastante clara, indicando que é a direção que você deve tomar." Quando uma visão retorna mais de uma vez, o outro lado está chamando atenção para algo importante, como o caminho que alguém deve seguir na vida. Na visão, minha cliente parecia extremamente feliz e bem de vida, o que para mim representa sucesso. Os médiuns devem ser cautelosos ao interpretar o que vêem, pois pode ser arriscado. Com a sucessão de tentativas, vamos aprendendo. Mas é preciso praticar.

Uma jovem de uns vinte anos me pediu que falasse sobre sua saúde. Olhei para ela e disse que pressentia um problema nos músculos e juntas. Interpretei a mensagem como sendo uma determinada síndrome cujo sintoma é debilidade das mãos. Acrescentei que sentia que os efeitos custariam a se intensificar. A jovem negou meu diagnóstico, dizendo que tinha esclerose múltipla.

Eu nunca havia feito uma sessão com alguém que tivesse esclerose múltipla, e por isso acertei nos sintomas, mas errei na identificação da doença. No entanto, sabia que no momento não era grave e que ainda levaria um tempo para se tornar um desafio. Agora já sei reconhecer a sensação. As experiências da vida aumentam a capacidade de interpretação de um médium, pois, com a repetição, ele passa a entender melhor as informações que recebe.

Há ocasiões em que nós, médiuns, simplesmente *sabemos*, mesmo sem nos concentrarmos, ou quando somos pressionados por um espírito persistente que exige insistentemente nossa atenção. Por vezes, um espírito grita um nome no meu ouvido até que eu transmita a mensagem, tal é seu desejo de se comunicar. Obtemos o que é possível. Depende da força e da clareza da energia do outro lado, de nossa capacidade de receber mensagens e do desejo da pessoa a quem as transmitimos durante a sessão.

Muitas vezes, um ente querido vivo está à espera de uma resposta específica. Apesar de receber informações altamente detalhadas, ele se sente frustrado e aborrecido se sua lista de questões não for satisfeita. Mas a sessão obedece à pauta do ente querido do outro lado.

Vamos nos colocar no lugar do espírito. Imagine que você esteja querendo desesperadamente se comunicar com alguém há dez anos. Você só tem trinta minutos para dizer tudo. Você quer que sua presença seja reconhecida. Talvez se trate da única chance de comunicar a seu ente querido como você se sente. O que seria prioritário? O que você diria? Que o ama, que sente muito por têlo feito sofrer, seu nome, os nomes das pessoas com quem você está, suas lembranças e seus objetos emocionalmente preciosos.

Você se dedicaria a expressar emoções, como amor, felicidade ou arrependimento. Você quer tocar o coração do ente querido. Assim, se você tiver sorte de se comunicar com um ente querido que esteja do outro lado, ouça sua mensagem e permita que ele o toque. Esqueça as suas perguntas.

"Médium" é um palavrão

Uma vez participei de um programa onde realizaram uma votação para saber se a platéia acreditava no poder dos médiuns de se comunicar com os mortos. O apresentador perguntou:

"Quem acha que os médiuns são uma fraude e quem se deixa enganar?"

Fiquei pasma ao vê-lo fazer essa pergunta capciosa para tentar influenciar o público. Estava sentada em silêncio, esperando para fazer uma sessão que seria gravada, quando a equipe do programa começou a fazer gozações sobre o assunto. Imitavam sons de fantasmas e riam histericamente. Eu me fechei mentalmente e resolvi não dar importância.

Afinal, a mulher que veio para receber as mensagens era cética e emocionalmente bloqueada. Deu a impressão de que tinha ido ao programa só para nos desmoralizar. Tive a confirmação de dois nomes dados por seu pai no outro lado, mas eles não significavam muito para ela, que reagiu com indiferença, sem levar em conta que eram pessoas muito importantes para seu pai. Também mencionei um objeto de especial relevância, vinculado à morte do pai, mas nesse exato momento nos informaram que o tempo se esgotara.

Ainda bem que terminou, pensei comigo mesma. Na noite anterior, eu havia dormido apenas três horas e meia e estava louca para descansar.

A palavra "médium" foi sempre mencionada no programa num tom de deboche e desprezo, como se fosse um palavrão. Quem admitia crença nos médiuns era ridicularizado e rapidamente eliminado. Tais reações não se restringem a esse programa específico. Em parte, aqueles que se fazem passar por médiuns com a intenção de obter ganhos financeiros são responsáveis por essas atitudes. Em todas as profissões existem os charlatões e criminosos. Quem quiser consultar um médium, deve pedir recomendações e referências a amigos para evitar ser enganado.

Como médium que leva a sério suas obrigações, não gostei de ter sido ridicularizada por um grupo de estranhos. Mas essa experiência acabou sendo uma bênção disfarçada. Aprendi a selecionar melhor minhas apresentações em público e a evitar que pessoas hostis me desviem do meu caminho.

Como sempre digo, não se pode fazer uma omelete sem quebrar os ovos.

O que faz uma pessoa ser cética?

Quando o cético ouve a palavra "médium", ele imediatamente entra na defensiva. Apesar do estigma vinculado à palavra, aprendi a não me envergonhar de possuir esse dom. Poder ver o que outros não podem é, no mínimo, uma dádiva maravilhosa.

Não há nada de errado em ser um pouco cético. Os céticos ficam em cima do muro, sem saber que lado escolher, e não se convencem com facilidade. Se obtiverem informações detalhadas e específicas, podem chegar a acreditar. Se não ouvem o que precisam ouvir, continuam a duvidar da existência após a morte, mas ficam de alguma forma abertos à possibilidade. De todo o coração, posso dizer que entendo e respeito sua posição. Eles não só têm direito a suas crenças como são sábios por duvidarem de uma forma sadia.

Os céticos rancorosos são uma outra história. Eles projetam seu ódio decorrente da perda de alguém próximo em questões que lidam com o desconhecido. Em geral são pessoas com problemas de abandono e rejeição. Um cético rancoroso possivelmente se sente mais inteligente do que o resto da sociedade, concluindo que todos são ingênuos. Além disso, costuma associar manifestações emotivas a fraqueza.

Quando se dispõe a proteger os menos capazes, o médium se torna alvo do rancor desses céticos. Eles costumam falar em voz alta para abafar a resposta do médium às suas perguntas, que são mais afirmações do que questionamentos. Geralmente fazem uso de argumentos ridículos contra o outro lado: "Eu falo com a minha tia falecida, mas ela não me responde", afirmam em tom zombeteiro. Será que nunca passou pela cabeça de um cético rancoroso que ele é tão fechado que se torna totalmente incapaz de ouvir os que já morreram?

Os céticos rancorosos geralmente apresentam argumentos do tipo: "Os médiuns são demasiadamente vagos" ou "Tudo o que eles dizem se aplica a qualquer pessoa". De fato, isso pode parecer verdade, mas às vezes as pessoas morrem de ataque cardíaco e algumas se chamam John, que é um nome comum. Será que um médium não deveria reconhecer o espírito de um ente querido só porque sua morte não foi original e seu nome é comum demais? Os médiuns recebem qualquer um que estabeleça comunicação, não estão em busca de espíritos que se enquadrem no padrão dos céticos. A informação geral tem que ser dada, pois vem do espírito. No entanto, informações específicas de natureza pessoal devem também vir à tona.

Cheguei à conclusão de que é uma perda de tempo e energia tentar satisfazer esses céticos rancorosos e arrogantes. Além do mais, eles representam um grupo minúsculo. Por muito tempo, acreditei ser necessário enfrentá-los pessoalmente para fazê-los entender que a atividade dos médiuns corresponde à mais natural das funções humanas: estabelecer contato. No entanto, atualmente procuro ignorá-los.

Se um cético rancoroso, além de negar nossa capacidade de entrar em contato com os mortos, não reconhece o aspecto espiritual da vida após a morte, isso é problema dele. Se alguém fica com raiva e eleva o tom de voz quando o assunto é vida após a morte, deve avaliar a causa da raiva e verificar se não precisa de ajuda.

Do que os céticos rancorosos têm tanto medo? De que a maioria das pessoas acredite na vida após a morte e os force a assumir isto? De que suas palavras e ações sejam observadas por aqueles que eles perderam? Os céticos rancorosos são os mesmos que insistiam que a Terra era plana. Eles têm medo de se defrontar com o desconhecido. Agora que os céticos sadios e os céticos doentes foram definidos, vamos tratar de nos mantermos sãos!

Limites

É muito importante estabelecer limites na vida. Os jovens médiuns precisam descobrir o que os faz se sentirem bem com seus dons. Eles também possuem o direito de colocar limites e de saber que merecem o mesmo respeito que qualquer pessoa.

Se eu recebesse 25 centavos cada vez que alguém me dissesse "Sou cética, mas me diga quantos filhos vou ter?", ou me perguntase "Em que estou pensando agora?", ficaria rica.

Não vou adivinhar um número da loteria para os céticos nem diverti-los em uma reunião social. Os céticos precisam ter em mente que os médiuns merecem ser tratados com respeito. Não há necessidade de nos ofender, principalmente em reuniões sociais. Sei respeitar um cético por não acreditar no outro lado, já que esta é sua crença, mas desejo que respeitem a minha.

Em contrapartida há ocasiões em que o cético sai de uma sessão valorizando o outro lado e com uma nova visão sobre a vida após a morte. Acho que os ex-céticos se tornam os maiores crentes quando passam a aceitar os espíritos e a idéia de vida eterna. Quando alguém ouve de um espírito o que esperava ouvir, um peso é retirado das costas. Esse alívio fica óbvio para quem está presente.

Além disso, os que experimentam uma sessão especial geralmente adquirem uma espiritualidade renovada. Eles conseguem se desligar dos negativistas, pois estão conectados com o outro lado. É um vínculo difícil de ser rompido.

Meu dom é usado para ajudar pessoas que realmente precisam e querem concluir um desprendimento, pessoas que desejam se reconectar com um ente querido e recuperar laços perdidos. Algumas estão em busca de orientação ou precisam encontrar uma motivação para viver. A luz que recebem na sessão lhes permite ver com clareza as questões de suas vidas para que possam fazer a melhor escolha.

Fico muito feliz em transmitir informações específicas e convincentes vindas do outro lado. Acredito numa força maior que não nos criou para que, ao morrer, acabássemos. Somos eternos. Somos seres espirituais capazes de se comunicar com os espíritos de nossos entes queridos, mesmo após a morte física.

Os médiuns legítimos têm de conviver com muitos problemas. Um deles são os charlatões, que prejudicam a imagem da mediunidade. É claro que isso me irrita e muitas vezes me deixa indignada. Uma cliente me perguntou se eu vendia velas para espantar os maus espíritos. Eu nunca havia ouvido falar disso, e perguntei do que se tratava. Ela contou que se consultara com um médium que vendia velas que custavam de 10 a 50 dólares. Segundo ele, elas espantariam os maus espíritos que estavam prejudicando a vida da cliente.

Se você for a um médium que tente lhe vender algo sem o qual sua vida ficará destruída, vá embora imediatamente. O médium pode sugerir que você acenda um bastão de incenso ao sentir uma energia negativa em sua casa ou uma presença que o desagrade, mas é apenas uma sugestão, e cabe a você procurar o incenso. Talvez o médium indique um livro, se você pedir uma recomendação, porém, mais uma vez, é apenas uma indicação. Evite o médium que o ameace com o inferno ou que diga que você nunca encontrará o amor se não acender uma vela que ele tem para vender.

O médium sério não deseja que seus clientes se tornem dependentes dele para cada passo que dão. Queremos que nossos clientes tomem a rédea de suas vidas, façam suas escolhas com liberdade e, principalmente, que sejam felizes.

Assim, por favor, não ponha todos os médiuns no mesmo saco. Se você for a uma sessão com um médium e ele disser que sua avó está com você, não se feche. Peça ao médium que fale sobre sua avó. Não forneça detalhes sobre ela, mas confirme para o médium aqueles que achar pertinentes.

Não se coloque na defensiva e aceite tanto as generalidades quanto os detalhes específicos, verificando apenas se eles correspondem à realidade. Se o médium lhe fornece comunicações pessoais extraordinárias, então, mesmo sendo cético, permita-se ser tocado. Se não fizer isso, estará prestando um desserviço a si próprio e ao ser amado que deseja se comunicar. Se você tiver consciência de que está emocionalmente bloqueado, é preferível não procurar o médium. O momento certo é importante, pois algumas pessoas precisam de mais tempo para se conectar com a vida após a morte. Não se preocupe, tudo chegará na hora certa.

Sei que muitos céticos dizem que os médiuns se recusam a ocupar-se deles – o que não pode estar mais longe da verdade. Sabemos distinguir os céticos, como já disse, e nos agrada lidar com o cético respeitoso. Mas os céticos rancorosos costumam ter uma energia muito negativa e não estão em busca da verdade. Despender tempo e energia com eles é inútil e desgastante.

Quando atendo um cliente, tento transmitir a mensagem tal como a recebi. Algumas vezes, quando a comunicação só servia para causar sofrimento, eu a retive, mas isso é raro. Os espíritos não têm a intenção de fazer o cliente sofrer, mas é possível que possuam uma mensagem a ser transmitida a um parente e vejam a ocasião como uma oportunidade de alcançar seu objetivo.

Se o espírito estiver envergonhado de um erro cometido em vida e quiser revelar a verdade, pode ser problemático. Durante uma sessão, um caso de infidelidade foi revelado juntamente com um pedido de desculpa a ser transmitido a um outro parente. Relatei isso à minha cliente, que não sabia do caso, e naturalmente ela ficou bastante aborrecida com a notícia.

Mais tarde a comunicação foi confirmada por seu pai, mas a que preço? Agora minha cliente tem uma informação bastante negativa sobre alguém que ela ama. A desculpa não fechou o caso para nenhum deles, além de ter provocado uma mudança na lembrança que a jovem tinha de seu avô.

A partir dessa sessão, passei a examinar a comunicação recebida para ver se ela serve para algo positivo, em vez de causar mágoa. A pessoa a quem a mensagem é destinada através do meu cliente não é da minha responsabilidade; meu cliente vem em primeiro lugar. Esta é a única situação em que guardo a informação e, repito, é muito rara. O episódio levou-me a criar meu próprio código de ética. Às vezes, ele se baseia simplesmente no bom senso. Os médiuns têm de manter um alto padrão moral. Afinal de contas, fomos investidos de muita responsabilidade.

Os clientes que querem informações sobre um cônjuge ou um amante nem sempre ficam satisfeitos com minhas previsões sobre seus relacionamentos, mas sou sempre direta e passo toda a comunicação recebida. Naturalmente desejo que as pessoas sejam felizes, mas nem sempre é possível dizer a um cliente que seu relacionamento é para sempre. Lembre-se de que o médium pode aconselhar sobre relacionamentos, mas acredito que, na maioria dos casos, estamos simplesmente confirmando algo que o próprio cliente já pressentia.

Aos que descobriram sua aptidão mediúnica e não sabem o que fazer com ela, tenho algo a acrescentar: o fato de ser portador de um dom especial não obriga você a se profissionalizar. Nem todos os que possuem esse dom funcionam bem aconselhando os outros. Não há qualquer problema em exercer uma outra profissão e utilizar seu sexto sentido para alcançar sucesso na sua área de trabalho. Você também pode simplesmente desenvolver sua espiritualidade para ser uma pessoa equilibrada e generosa que faça bem aos outros. O importante é expandir seu sexto sentido e colocá-lo a serviço.

Padrões

Aprendi a aceitar meu dom e a saber que ele me foi dado com uma razão específica. Tenho plena consciência de sua importância e da responsabilidade inerente a ele. Fui aprendendo, no correr da vida, a discernir a oportunidade de exercê-lo da melhor maneira possível. Por exemplo, se estou num restaurante e vejo uma senhora idosa com o espírito de seu marido ao lado, não posso ir até ela e contar-lhe isso.

É uma regra que procuro seguir com pessoas estranhas ou que não solicitaram minha ajuda. Não quero impor nada a ninguém, principalmente algo que possa causar um impacto emocional. Respeito profundamente a crença dos outros.

Sei que sou uma pessoa séria e bem-intencionada, mas sei também que, como qualquer ser humano, tenho minhas falhas. Por isso, procuro tomar o maior cuidado com as emoções que provoco quando transmito as informações vindas dos mortos. Sei que existem médiuns que gostam de provocar o choro nos clientes e chegam a medir seu sucesso pelas lágrimas derramadas. Não concordo com isso. É possível transmitir uma mensagem emocionante de uma forma menos traumática, porém sensível.

Por exemplo, se um filho morto entra em contato e quer transmitir seu amor para a mãe, prefiro transmitir a mensagem da seguinte maneira: "Seu filho está expressando o amor dele por você. Ele está sempre ao seu lado e sabe que a ligação de vocês dois permanecerá para sempre." É melhor que: "Seu filho está dizendo que ninguém jamais amará você como ele a amou, e está desolado por ter lhe provocado sofrimento. Acrescenta que seria uma bênção se estivessem juntos."

Há muitas maneiras de interpretar o sentimento transmitido, e o tom da mensagem pode variar bastante. Alguns preferem uma sessão dramática, enquanto outros a consideram desagradável. Se você quiser ter uma sessão com um médium, peça que recomendem alguém que seja do seu estilo.

Antes de marcar a sessão, converse um pouco com o médium pelo telefone e pergunte o que você deve esperar. Siga sua intuição. Se no contato telefônico tiver uma boa impressão da pessoa, há grande probabilidade de a sessão satisfazer suas expectativas. Não forneça ao médium informações pessoais, deixe que ele transmita os dados a seu respeito. Isso dará um impacto e um significado maiores à sessão.

Depois de transmitir as mensagens, prossigo retomando os dados sobre objetos especiais e lembranças do falecido para autenticar sua presença. A mensagem da pessoa querida será mais bem recebida se houver uma reflexão sobre os detalhes e os momentos de confirmação. Se a mensagem tem um tom triste, eu o mantenho, sem dramatizar, como já falei. As lágrimas fazem parte de uma sessão, mas prefiro trazer à tona elementos mais felizes.

Com minha família, essas regras não se aplicam. Se eu souber que um parente vai ter um ataque cardíaco, conto a ele, mesmo que não esteja preparado para ouvir. Minha família é entusiasmada comigo e com meu dom. Ao transmitir as mensagens, estou cumprindo minhas obrigações para com eles e exercendo minha missão.

Uma noite, o pai falecido de Joe me visitou. Ele caminhava pelo quarto ao lado da nossa cama, e as tábuas do chão rangiam. Sei que parece um estereótipo de aparições fantasmagóricas, mas foi assim mesmo. Para meu deleite, Joe pôde ouvir os esforços de seu pai para entrar em contato conosco; pelo menos dessa vez eu não estava sozinha. Ficamos deitados, ouvindo o pai dele andar de um lado para o outro, perto da nossa cama. Acabei cobrindo minha cabeça e tentei ignorá-lo.

– O que ele deseja? – Joe perguntou.

– Não quero saber. Estou cansada.

– Allison, por favor, pergunte a ele – pediu Joe.

– Ele está dizendo que seu irmão precisa ir ao médico, mas eu não vou falar isso para ele. Seu irmão não vai acreditar mesmo.

Na noite seguinte, quando Joe e eu estávamos indo para a cama, o sistema de alarme disparou. Joe verificou, mas não encontrou a razão do disparo. Fomos dormir. Por volta de 1h30 da manhã, o alarme soou novamente.

–Allison, pergunte a seus guias qual é o problema do alarme – Joe disse.

– Os guias responderam que o fio amarelo está solto. – Acrescentei que seu pai disparara o alarme por estar preocupado com a saúde do filho. Na manhã seguinte, o técnico da firma veio e, depois de um exame, confirmou que o fio amarelo estava de fato desconectado.

Quando contei isso a Joe, ele resolveu telefonar para o irmão no trabalho, com a esperança de que ele fosse ao médico para um check-up. O irmão de Joe trabalha em uma grande empresa de engenharia e é muito racional.

Assim que o irmão atendeu, o alarme de incêndio da empresa disparou. Joe ficou impressionado, e o irmão também estranhou. Seu pai estava fazendo um grande esforço para convencer seu irmão, e Joe emocionou-se com isso. Ele acabou passando a mensagem para o irmão, que, infelizmente, por teimosia, não a levou a sério. Ele preferia esperar para ver.

Capítulo 11

Você realmente quer saber?

Um aspecto difícil da atividade mediúnica é que às vezes as pessoas ficam com raiva do médium quando recebem uma mensagem que não querem ouvir. A tendência é agredir quem a transmitiu ou mesmo desqualificar a informação. Acho que isso ocorre mais freqüentemente com pessoas casadas que esperam que eu lhes conte o que querem ouvir.

– Você realmente quer saber tudo? – pergunto aos clientes, antes de transmitir uma comunicação delicada. Alguns não desejam, e eu respeito sua posição. Faço a pergunta para que reflitam se querem sofrer o impacto da informação.

Na maioria das vezes, acabo sabendo que toquei numa área vulnerável do relacionamento, uma questão que devia ser trabalhada para evitar a separação. Algumas vezes, o relacionamento não tem mais solução, pois os dois lados já se desconectaram. Em muitas ocasiões houve uma questão de infidelidade, e comuniquei o mês em que o caso iria prosseguir ou terminar. Recebo muitas confirmações dos dados transmitidos e, como em geral as notícias não são boas, sinto pena de meu cliente.

Resolvi não responder a certas perguntas sobre casamento. Não respondo se alguém me pergunta se cometeu um erro ao casar com alguém ou se estaria feliz com outra pessoa. Não digo se o casamento vai terminar. Não gosto de perturbar a vida das pessoas, mesmo quando a informação é solicitada.

A maioria dos casais que tem dúvidas sobre seu casamento já está bem consciente da situação em que os dois se encontram. Sempre aconselho meus clientes a viverem como acharem melhor e a usarem minha informação como ferramenta extra.

Em matéria de aconselhamento, nós, médiuns, aprendemos que não somos capazes de resolver tudo para todos. Estabelecemos nossos limites, a fim de não carregarmos o peso dos problemas do mundo em nossas costas. Ajude quem você puder e respeite as pessoas para que elas sejam capazes de encontrar seu próprio caminho na vida. Louvo a atitude dos que têm um impulso muito forte de salvar o mundo, mas aconselho: por favor, escolham suas lutas com prudência e não se deixem destruir por elas.

Viva!

Em julho de 2001, vi no programa *Oprah* um homem que quase morreu em um acidente de avião uns vinte anos antes. Ele decidiu que, se sobrevivesse, viveria o mais plenamente possível e se esforçaria para fazer o bem. Como esse homem me estimulou!

Ele fez uma lista de cem coisas que queria realizar antes de morrer, e até a época do programa já havia realizado uns setenta itens. Fiz minha própria lista e sugiro veementemente que você faça a sua. A propósito, você está lendo um dos dez primeiros objetivos da minha lista de realizações: um livro escrito por mim!

Experiências de quase morte parecem inspirar as pessoas a viverem mais intensamente. Mas você não precisa ter uma experiência desse tipo para optar por uma vida plena. Aprenda com os outros e viva! Apesar de haver momentos que parecem eternos, a vida é como um raio – passa rápido. Extraia alegria dos acontecimentos e compartilhe seus dons especiais com os outros. Ajude uma criança a desenvolver-se, doe seu tempo e dinheiro a uma causa válida, destine seus órgãos para doação! Confie em mim, você não vai precisar dos rins ou do fígado no outro lado e não há melhor presente do que dar uma vida nova a alguém. Não importa o que você escolher, contanto que seja algo que cause emoção e entusiasmo, algo que o toque bem fundo.

Sempre me comunico com a criança que permanece intacta dentro de mim para não perder as dádivas simples da vida. Crescer não deveria significar abrir mão delas. Por que será que olhamos encantados para as crianças com sua inocência e sua descoberta maravilhada da vida? Fazemos isso porque reconhecemos essas características em nós e sentimos saudade delas.

Você se lembra de quando não conseguia entender por que existiam no mundo pessoas com fome? Lembro-me de minha mãe dizer que essas pessoas adorariam comer a comida que eu deixava no prato. Com a espontaneidade de uma criança, sugeri que ela a colocasse num envelope para enviar-lhes.

Hoje em dia, tento transpor a generosidade da minha infância para a vida adulta. Todos os anos, no dia de Ação de Graças e no Natal, faço uma contribuição para a ceia dos desabrigados. Sei que é um gesto mínimo ante a dimensão da fome no mundo, mas é o que está ao meu alcance, e isso me faz bem. O contrário seria acomodar-me ante a impossibilidade de resolver o problema e esquecer-me dele.

Sinto que é necessário manter vivo o sonho de um mundo mais justo. Se cada um fizer uma pequena parte que seja, teremos um avanço. Mas, se deixarmos de nos conectar com os outros, acabaremos isolados e egoístas. Parece mais fácil fechar-se do que solidarizar-se com os necessitados, mas, quando nos isolamos, estamos sufocando o que há de melhor e mais essencial em nós.

Olhe em sua volta, veja quem precisa de ajuda e o que você pode fazer.

Há muitas maneiras de praticar o bem, e estender a mão é o

primeiro passo. Às vezes chego a me sentir egoísta quando me dou aos outros, pois isso me deixa quase eufórica. A ajuda que damos gera uma energia positiva que volta para nós.

Escrevi este capítulo para as pessoas que sentem um vazio interior, para as que estão procurando um objetivo ou simplesmente querem se sentir bem. É bom parar um instante para fazer-se algumas perguntas. Você se sente realizado? Ou percebe que há em você um potencial a ser concretizado? Quais são suas motivações? Está aberto para as necessidades dos outros? Tem gestos concretos de solidariedade e compaixão ante o sofrimento de alguém? Não faço estas perguntas para despertar culpa, até porque a culpa nos paralisa e não leva a nada. Faço-as porque sei que existe em você, em cada um de nós, um desejo de doação que, quando se realiza, faz nossa felicidade.

Um outro lado

De vez em quando me perguntam se as pessoas vão para o inferno. Em duas ocasiões semelhantes consegui estabelecer comunicação com um espírito, mas não foi possível envolvê-lo numa conversa com quem o evocou. Na primeira, olhei para a mulher à minha frente e comecei a descrever características sombrias de seu pai falecido. Quando vivo, além do alcoolismo e dos maus-tratos físicos à família, ele também era adúltero e acusado de desvio sexual.

Ao transmitir tal comunicação, fiquei perturbada ao perceber a dor da cliente. Ela confirmou a informação e pareceu recuperar-se. Expliquei-lhe que seu pai escolhera se afastar da luz, mas que isso de forma alguma se refletia nela. Acredito que as pessoas criam seu próprio inferno e que o carregam quando decidem não se separar das características espirituais mais sombrias. Crianças boas podem nascer de pais sinistros e vice-versa. Não dedique sua vida a pagar pelas escolhas de sua família. Quando as pessoas olham para você, elas não vêem a sua família, só vêem você. A cliente de quem falei é uma das pessoas mais generosas e carinhosas que conheço. É uma mãe excepcional e é cercada de amigos.

Em outra ocasião, depois que transmiti minha informação sobre o espírito, o cliente pulou do sofá e disse: "Só precisava saber se ele tinha ido para o lugar a que pertence!" E saiu.

Os médiuns não estão aqui para ensinar as pessoas a viver. Tentamos apenas oferecer uma visão do futuro para que elas possam aproveitar ao máximo o tempo precioso na Terra. Reconheço que é difícil ver uma pessoa recair, repetindo os comportamentos que comprometeram sua felicidade. Só me resta aconselhar e enviar anjos para orientá-la. A vontade do espírito humano tem o poder de desprezar todos os guias enviados. Por isso, ouça com muita atenção o que você sentir como sua verdade.

Capítulo 12

Se você nunca for morrer

Poder levar um sorriso de alívio ao rosto de uma pessoa, depois de fazê-la entrar em contato com um ser querido falecido, significa mais do que as palavras são capazes de expressar. Foi o que me aconteceu quando minha amiga do tempo do ginásio, Domini, morreu aos 31 anos.

Conheci Domini quando tínhamos 14 anos, no primeiro ano da escola secundária. Lembro-me do dia em que nos vimos pela primeira vez no ponto de ônibus em frente à escola. Apesar de ginasta e capaz de se defender se fosse necessário, Domini era extremamente feminina. Tinha um sorriso lindo e acolhedor, e era ela quem sempre animava as festas. Rapidamente ficamos amigas.

Embora fosse vibrante e simpática, Domini tinha o espírito ferido e imaturo. Vivera experiências dolorosas na infância e desejava ardentemente ser aceita e amada. Em julho de 2000 recebeu o diagnóstico de um melanoma maligno, e em abril de 2001 morreu. Foi muito difícil ver minha amiga sofrer.

Não é fácil ser médium quando você sabe que algo terrível vai acontecer com uma pessoa querida e não pode impedir – só lhe resta ver as previsões se confirmarem. Eu já tivera um pressentimento de que Domini morreria de câncer por volta dos trinta anos. Aos 19 anos, eu lhe disse que via o fim de sua vida dentro de dez anos por causa de um câncer. Não fui a única a pressentir sua morte precoce.

Jamais vou esquecer o dia em que fomos ver o filme *Amigas para sempre*. À medida que a história se desenrolava, Domini apertava minha mão com força. Logo depois que no filme uma das mulheres conta para a melhor amiga que está com câncer e pede que ela crie sua filha depois de sua morte, Domini voltou-se para mim.

– Ali – Domini foi a única pessoa que me chamou assim na vida –, se alguma coisa acontecer comigo e eu morrer, você cria a filha que eu vou ter um dia e conta a ela tudo sobre mim?

Minha primeira reação foi exclamar:

– Que idéia é essa?

Mas ela insistiu:

– Promete?

Apertei sua mão entre as minhas e assenti com a cabeça.

– Claro!

Domini pareceu aliviada. Ela sabia que eu levo a sério a palavra empenhada.

Poucos anos depois, Domini e seu marido, Dominic, tiveram uma linda filha chamada Marissa. Convivi durante algum tempo com eles e depois nos perdemos de vista. Eu me casei, tive filhos e seguimos nossas vidas.

Várias vezes eu pensava nela, querendo ter notícias. Depois de seis anos, já em 2000, decidi procurá-la. Por meio de uma busca na internet, consegui localizá-la através de Dominic, de quem ela tinha se separado. A premência que senti de encontrá-la não foi fruto de mera coincidência. Por alguma razão, meus guias estavam me levando à minha amiga. Nos meses seguintes, Domini e eu passamos horas no telefone, como se não tivesse havido os seis anos de intervalo.

Domini se casara de novo e acabara de ter uma filha naquele mês de março. Sua casa ficava a aproximadamente uma hora de distância da minha, e eu queria conhecer sua recém-nascida. Joe e eu fomos com nossas filhas visitar Dom e sua nova família.

Marissa tinha o mesmo olhar luminoso de quando eu a vira com três anos. A noite passou rápida demais. Olhamos álbuns repletos de fotografias antigas e conversamos durante horas. Na semana seguinte, o telefone de Dom foi desligado e não tive notícias dela por longos quatro meses.

No verão de 2000, Domini soube que estava com câncer e me ligou para dar a notícia. Lembrei-me do dia em que assistimos juntas ao filme em que vislumbramos nosso futuro. Acredito que naquele momento ela teve consciência de que sua vida seria curta. Muitas vezes me disse que sempre soube que não chegaria a envelhecer. E tinha razão.

Até o próximo encontro

Não gosto de dizer adeus como se não fosse mais ver a pessoa. Prefiro dizer "Até o próximo encontro".

Durante vários meses, Domini lutou contra o câncer. Eu soube aproveitar bem o tempo em que fiquei com ela, sem desperdiçar um único momento. Com uma amiga comum, ajudei Domini a realizar seus últimos desejos. O período que antecede o desprendimento material é importante tanto para quem está morrendo quanto para quem fica. Em vez de se deixar abater pela perspectiva da morte, aproveite ao máximo esse tempo valioso e considere-o uma bênção. Pergunte à pessoa querida o que ela desejaria fazer ou ver enquanto está aqui. É uma oportunidade única, não a desperdice.

Domini sempre desejou um apartamento charmoso, porém decoração nunca foi seu forte. Assim, arrumamos todo o apartamento enquanto ela estava no hospital, decorando-o com objetos coloridos e de alto-astral. Acendemos bastões de incenso que perfumaram o ambiente no dia em que ela voltou para casa. Domini adorou o apartamento e usufruiu cada detalhe!

Levamos minha amiga para jantar fora e comer lagosta, coisa que ela adorava e que raramente se permitia. Percorremos seus lugares favoritos, assistimos a concertos e revimos seus filmes preferidos.

Quando se é jovem, não se tem idéia de que um dia a vida vai terminar. Não se pensa no que escolher a cada dia nem no que dizer aos que vão ficar para trás. O jovem tem todo o tempo do mundo e vive destemidamente. Ele também não se dá conta de que as escolhas feitas na adolescência podem afetar sua vida inteira.

Durante o tempo em que convivemos antes de sua morte, Domini e eu conversamos muito, revendo nossos sonhos, nossas lutas, nossas ilusões e nossas conquistas.

Poucas semanas antes de Domini completar 31 anos, fizemos em sua homenagem uma festa como nos velhos tempos, para que ela pudesse estar com os antigos amigos. É tão bom poder expressar afeto enquanto as pessoas que amamos ainda se encontram entre nós! Meus guias me deram a data de 22 de março, dizendo que algo fundamental na vida de Domini aconteceria naquele dia. Anotei a data em meu calendário.

O dia 22 de março veio e passou, e eu não consegui entender o que os guias queriam transmitir. No dia seguinte, Dominic, seu ex-marido, me ligou dizendo que Domini tivera convulsões à noite e fora hospitalizada. Até aquele momento, ela fizera o possível para ficar em casa, pois sabia que, se fosse internada, não sairia mais. Claro que estava certa.

Às duas horas do dia 2 de abril, meus guias me disseram para ir vê-la. Eu tinha várias sessões agendadas e estava, como de hábito, correndo de um lado para o outro, ocupada com muitas coisas ao mesmo tempo. A partir das 4h15 da tarde, meus olhos eram atraídos para o relógio de minuto em minuto.

Fui a um compromisso e voltei para casa com a sensação de que tudo parecia acontecer em câmara lenta. Entrei pela porta da garagem e vi meu marido caminhando em minha direção. Antes que ele falasse, eu disse:

– Domini morreu, não é?

– Morreu, às 2h50 da tarde – Joe disse.

Às vezes desconfio que não mereço meus guias. Eu tinha tanta coisa na cabeça que ignorei completamente seus avisos. Eles tentaram me levar a Domini para um último adeus, mas eu os descartei porque estava ocupada demais para receber a mensagem.

Exatamente no dia seguinte à morte de minha amiga recebi uma informação do outro lado de que havia um anel numa caixa branca que deveria ser dado à sua filha Marissa. Domini esquecera-se do anel durante a doença, apesar de ser um objeto importante para ela. Domini era uma otimista incorrigível e acreditava que venceria o câncer. Sua maneira de evitar a morte era ignorá-la.

Negar o próprio fim é uma prática comum entre os que estão à beira da morte. Muitos acham que o fim só virá depois de se despedirem. Infelizmente, essa não é a lógica da morte.

Recebi a mensagem de que a caixa branca estaria colocada debaixo de um colchão ou escondida por um colchão. Telefonei para Dominic transmitindo essa informação.

Eu me senti péssima ao telefonar para Dominic, pois, além de ter cuidado de Dom quando ela estava morrendo, ele ainda tinha de lidar com a própria dor. Embora tivessem se separado, Dominic nunca deixou de amá-la, pois tinham muito em comum além do nome.

Você deve estar achando estranho que Dominic tenha cuidado de Domini, e talvez esteja se perguntando onde estava o segundo marido. Ele saiu de cena logo que Domini caiu doente e, dois meses antes de sua morte, deu entrada no processo de divórcio. Felizmente para ele o processo não foi concluído, de maneira que ainda pôde receber os benefícios pela morte de minha amiga. Só tenho uma palavra para defini-lo: carma.

Dominic me telefonou mais tarde. Havia encontrado a caixa com o anel entre o colchão e a mesa-de-cabeceira. Perguntei:

– A caixa é branca?

Eu tinha absoluta necessidade de confirmar isso para ter plena certeza de que era a voz da minha amiga querida que eu estava ouvindo.

– É, Allison, é branca, exatamente como você disse.

Dominic sentiu-se melhor quando soube que Domini estava se comunicando conosco. Ela enviava, para as pessoas queridas, um sinal de que se encontrava bem. Sobretudo, estava entregando com todo o carinho, mesmo do outro lado, o anel para a sua filha Marissa.

~

A maioria das pessoas espera que o médium sofra menos e aceite melhor a morte de uma pessoa querida. Mas, com a morte de Domini, sofri como todo mundo. Sempre vi as pessoas queridas presentes em seu próprio velório e me sentia consolada por elas. Mas no enterro de Domini isso não aconteceu. Ao me aproximar de seu caixão, senti o peso físico de seu corpo com câncer, o que me causou mal-estar. Fiz um grande esforço para me lembrar dela quando a doença ainda não tinha dominado seu corpo.

Penso muito em Domini. Lembro-me da última vez em que estivemos juntas antes de sua morte. Na ocasião, eu não queria deixá-la, pois sabia que não a veria viva novamente. O câncer tinha reduzido seu corpo a uma sombra do que era. Quando eu a segurava, temia que pudesse quebrá-la, de tão frágil que estava. Dizer adeus, quando se tem certeza de que é a última vez, não se compara a nenhuma outra tristeza.

Sei que Domini não está mais sofrendo. Sei que se recuperou e voltou a ser animada. Apesar disso, e mesmo sabendo que ela se encontra num lugar melhor, sinto que sua energia foi retirada do meu mundo.

Mas também me sinto culpada. Um ano antes de Domini morrer, ela teve um bebê. Eu a vi logo depois e disse que ela não parecia bem fisicamente, mas Domini atribuiu seu estado ao parto. Não me conformei e fiz com que ela me prometesse que iria ao médico. Mais tarde, ela me telefonou dizendo que fora ao médico e que não havia qualquer problema.

Minha dificuldade está justamente nesta questão. Tenho consciência de que não podia alterar o resultado da vida de Dom, mas uma parte minha ainda acha que, se pude intervir a favor de tantas pessoas, poderia ter feito o mesmo por ela. Mas não era para ser. Domini sentiu muita dor durante a gravidez, mas os médicos a atribuíram à gestação. Quando se chegou a um diagnóstico, já era tarde demais: o câncer não podia mais ser operado. Também tenho de aprender a lição de que não nos devemos culpar quando perdemos alguém. Às vezes está fora do nosso controle.

As duas filhinhas de Domini não vão ter uma imagem nítida da mãe, embora eu saiba que ela vai visitá-las com freqüência. Tento cumprir a promessa feita no cinema e, sempre que posso, procuro-as para falar da mãe.

Tento me convencer de que há uma razão para tudo, mas sou humana e fico extremamente triste quando a vida de uma pessoa querida é interrompida. Também aprendi a ficar de luto. Chorar e querer entender o porquê são formas sadias de elaborar a tristeza. Estimulo as pessoas a conversarem com seus entes queridos que se encontram do outro lado. Eles não somente nos escutam como de alguma maneira também respondem.

Quando alguém morre prematuramente, valorizo muito minha capacidade de proporcionar algum tipo de consolo, pois a ferida é extremamente dolorosa para os que permanecem aqui. No meio do sofrimento, eles têm muitas perguntas sem resposta. Principalmente esta: "Por que você nos deixou?"

A resposta pode ser um antídoto contra a dor ou uma intensificação do sentimento causado pela perda. É um alívio saber que ficamos conectados mesmo após a morte e que há explicação para todo o começo e fim. O que não impede que a pessoa querida tenha ido primeiro. Mas tenha certeza de que, quando sua vez chegar, seus entes queridos estarão à sua espera e juntos vocês farão uma grande e feliz reunião familiar.

As pessoas queridas que já se foram nos acompanham por toda a vida. Elas são como uma energia disponível sempre que necessitamos. Quando você precisar de força, chame seu avô ou outra pessoa querida do outro lado para adquirir ânimo e orientação. Quando precisar de paciência, chame sua mãe para acalmá-lo. Sei que, quando fico abatida ou séria demais, Domini – aquela explosão de vibração e alegria – me ajuda a ficar animada. Permita que seu ente querido faça parte de você e seja uma inspiração na sua vida.

Uma vez fiz uma sessão para um senhor simpático chamado Greg. Perguntei se ele tinha um irmão no outro lado, que morrera na infância.

Ele respondeu que não.

– Que estranho – eu disse –, porque sinto que é uma energia fraterna.

– Ah – disse Greg –, tive um primo que morreu aos 12 anos. Éramos quase da mesma idade e nos considerávamos irmãos. Crescemos juntos. O nome dele era Martin.

– Ele usava aparelho nas pernas?

Usava – Greg respondeu.

Martin demonstrou preocupação com os pais. Sua morte abrira um abismo entre o casal, e o menino relatou em detalhes o sentimento de perda que ainda sentiam. Ele desejava que os pais concluíssem o desprendimento. Expliquei-lhe que talvez seus pais não estivessem preparados para a experiência. Ele ficava repetindo os nomes Robert e Bobby. Voltei-me para Greg e perguntei:

– Quem são Robert e Bobby para Martin? Ele está insistindo nestes nomes.

– Martin não é o primeiro nome do meu primo. Seu primeiro nome é Robert. Bobby é o pai de Martin.

Martin estava extremamente preocupado com o bem-estar de seu pai e tinha muitas lembranças nostálgicas para compartilhar com o primo. Passada a sessão, Greg quis dividir as mensagens de Martin com o pai do menino, esperando que ele estivesse pronto para ouvi-las. Algumas pessoas não estão preparadas para ouvir mensagens vindas do outro lado, e alguns espíritos não estão prontos para transmitir mensagens a partir do outro lado. É uma pena, pois, quando os dois lados querem se reunir, cria-se uma grande oportunidade para a cura. É sadio ficar aberto para todas as possibilidades da vida.

Bichos: eles vivem depois da morte?

Passei por um dilema pessoal recentemente. Meu gato Sinbad estava visivelmente doente, cada vez mais debilitado. Onze anos antes, minha mãe o encontrara todo ferido e cuidara dele até recuperá-lo. Na época, ele tinha cerca de 13 meses.

Era evidente que não havia mais sentido em deixá-lo sofrer, mas como causar a sua morte? Eu sabia que, se o levasse ao veterinário, não sairia de lá com Sinbad em meus braços. Ele adorava ficar deitado no gramado do jardim da frente para desfrutar o banho de sol. Convivo com o outro lado diariamente e sei que é um lugar bonito, mas eu adorava o meu gato e não estava preparada para perdê-lo. O que ele desejava que eu fizesse?

Tinha receio de tomar a decisão errada, pois o sentia como

parte da família. Numa sexta-feira à noite resolvi conversar com meus guias para pedir-lhes ajuda na decisão a ser tomada. Meus guias responderam, mas não foram objetivos. Fiquei frustrada e lhes disse:

– Vocês me dão a possibilidade de ajudar outras pessoas dando respostas claras para os problemas delas. Consigo transmitir mensagens e paz para os outros, então, por que não para mim mesma? Preciso de algo muito especial, mágico mesmo.

É estranho ver uma jovem médium tendo um ataque de raiva com o outro lado. Depois de muita reflexão interior, caí num sono agitado. Naquela noite, eu recebi exatamente o que havia pedido. Veio em forma de um sonho, tão real e surpreendente que na ocasião não percebi que era um sonho.

Nele, minha amiga Domini estava viva e nos encontrávamos em seu apartamento. Enquanto eu olhava uns álbuns de recortes, notei que tudo estava mais limpo. Domini deu uma volta pela sala e veio em minha direção. Embora soubesse que tínhamos a mesma idade, ela parecia bem mais jovem. Usava um rabo-de-cavalo louro e fofo. Seus olhos azuis infantis refletiam um brilho dourado, e ela estava impecável. Dominic entrou. Passou por ela, seus ombros roçaram, mas nenhum dos dois se esquivou. Dominic andou por todo o apartamento e acabou entrando num quarto, fechando a porta.

Enquanto isso, Domini brincava na sala com um bebê, mas não sei de quem. Eu estava cansada e decidi ir para casa, pegando meus álbuns de recortes ao me dirigir à porta. Domini então disse: "Ali! Espere!", e fez um gesto para que eu voltasse. Fui até ela e coloquei os livros sobre a mesa. Domini começou a folhear meus álbuns, olhando-me de vez em quando com um sorriso de satisfação. Eu disse que tinha de ir, mas, ao sair, em vez de estar no corredor do prédio, me encontrei na entrada de uma clínica veterinária. Voltei-me para perguntar a Domini o que estava acontecendo, mas ela sorriu e balançou a cabeça vagarosamente em minha direção.

Acordei de estalo e sentei na cama. Minha primeira reação foi telefonar para Domini e contar-lhe que tinha sonhado com ela, mas então me lembrei que ela morrera três meses antes. Eu tinha pedido a meus guias um sinal extraordinário, e o que recebi estava repleto de significados especiais. Duas mensagens, sobretudo, eram dignas de nota. Na primeira, Domini me transmitiu que ainda está com Dominic. Antes de morrer, ela me disse que tinha certeza de que conseguiria se comunicar do outro lado e que ficaria consolada se pudesse chegar às pessoas queridas.

Ao me mostrar o consultório do veterinário, Domini convenceu-me de que levar Sinbad ao veterinário seria um ato de compaixão. Entendi que ela estava me dizendo que tomaria conta dele. Logo depois desse sonho, levei Sinbad ao veterinário. Ele tinha câncer no intestino e não havia nada a ser feito. Nós o amávamos a ponto de deixá-lo partir. Mesmo sabendo de antemão que Sinbad morreria naquele ano, isso não evitou a dor.

Nosso novo gato veio de Domini. Com o avanço da doença, ela ficou impossibilitada de cuidar de seus gatinhos e dera um para nossas filhas. Nós o chamamos de Caesar. Ainda o temos conosco e a família o trata como rei. Ele é um sopro de vida. Curto a idéia de que Caesar é tão vívido quanto Domini. Acho justo que tenhamos um de seus gatos, pois não tenho dúvidas de que minha amiga esteja cuidando de Sinbad no outro lado.

Os animais domésticos têm um papel importante em minhas sessões. Eles fazem parte de nossas vidas, e muitas pessoas os consideram como parentes. Embora eu soubesse que cães e gatos vão para o outro lado, não sabia que pássaros também podem se comunicar de lá, como aconteceu numa sessão.

A cliente era uma mulher engraçada e cheia de energia que tinha acabado de perder alguém, mas não me disse quem. Depois de um minuto na frente dela, veio-me a imagem nítida de uma mulher com cabelo tingido, usando vestido e colar coloridos como as havaianas. Eu a descrevi à minha cliente, dizendo-lhe que era uma figura maternal, e perguntei se ela estava indo para o Havaí ou vindo de lá.

Minha cliente respondeu surpresa e comovida:

– Minha sogra e eu estávamos planejando ir juntas ao Havaí, mas ela morreu antes da viagem.

Então vi algo que ainda não tinha notado. Havia um pássaro pousado no dedo da sogra. Ela parecia gostar muito do pássaro, o que me fez perguntar:

– Sua sogra possuía um pássaro? Porque ela está me mostrando um pousado em seu dedo.

– Possuía – respondeu minha cliente. – Dois pássaros, Ike e Tina. Tina morreu na mesma ocasião em que minha sogra.

Era a primeira vez que eu via um pássaro se comunicando do outro lado. Ele serviu para confirmar que de fato a sogra de minha cliente estava presente.

CAPÍTULO 13

Uma vez na vida

Quando procurei Diane para incluir sua sessão em meu livro, ela disse que ficaria honrada. Mas, na verdade, eu é que me sinto honrada de ter conhecido uma mulher tão exuberante e charmosa. Diane tem esperança de que sua história proporcione consolo a outras pessoas que têm de enfrentar desafios semelhantes. É provável que este capítulo também seja revelador para aqueles que nunca participaram de uma sessão. A história de Diane vai lhes dar uma noção do que pode acontecer durante uma visita ao outro lado.

Diane era uma mulher jovem de olhos claros e espírito livre, que tinha facilidade de fazer amigos. Jim era um rapaz vibrante, carinhoso e bonito. Em 1968, eles se conheceram no colegial, ela com 15 e ele com 17 anos. Cada um seguiu seu caminho quando Jim entrou para o serviço militar, mas eles se reencontraram alguns anos mais tarde e se casaram um mês depois. Eram felizes juntos e criaram uma linda família.

Na década de 1970, depois de cinco anos e dois meses de harmonia conjugal, a convivência dos dois foi interrompida.

Em 2001, Diane apareceu pela primeira vez para uma sessão de grupo na esperança de comunicar-se com alguém especial no outro lado. Eu a acolhi e nos sentamos todos para começar a sessão. Quando chegou a vez de Diane, ela perguntou se eu via alguém com ela. Eu disse que havia um homem que parecia do começo da década de 1970, com bigode, porém sem barba. Falei da importância de seu corte de cabelo para ele: mais curto nos lados do que atrás. Usava calças jeans apertadas que modelavam seu corpo. Era bastante atraente e tinha um sorriso luminoso. Alto, magro e de ombros largos, ele me mostrava um violão.

– É o meu marido, Jim – Diane disse. – Ele tinha bigode, mas não usava barba porque não conseguia deixá-la crescer. – Ela pareceu se divertir com esse fato.

– Ele morreu em conseqüência de um trauma na cabeça, causado por alguém. – Diane confirmou a informação e acrescentou que Jim tinha morrido na década de 1970. – Ele está me mostrando um salão enfumaçado, como se fosse um bar. – Diane explicou que Jim encontrara seus assassinos em um bar. – Está dizendo que houve uma mulher envolvida em seu assassinato. E que não morreu instantaneamente. Diz também que os responsáveis eram pessoas condenadas por crimes menores, mas que ainda estão pagando pelo que fizeram com ele. – Diane confirmou todas essas informações.

Jim então me disse que queria pedir desculpas a Diane. Ela respondeu que compreendia tudo e que ele não precisava se desculpar. Eu lhe transmiti que Jim sempre a achara uma mulher inteligente e que ele soubera com antecedência que sua hora de partir havia chegado. Diane falou que Jim sempre dissera que morreria antes dos trinta, e acabou morrendo quando tinha 26 anos. Freqüentemente as pessoas pressentem quando suas vidas vão chegar ao fim.

Ao entrevistar Diane para este livro, ela divulgou os fatos que levaram à morte de Jim. Vou narrá-los para que os jovens se dêem conta de que devemos tomar muito cuidado ao confiar nas pessoas. Espero que a história de Jim conscientize a todos sobre a necessidade de segurança.

Diane estava contente em poder compartilhar a sua história,

porque lhe faz bem falar sobre o que aconteceu a seu marido. Há sempre pessoas vivas ligadas afetivamente às vítimas de atos brutais como o que provocou a morte de Jim. Os sobreviventes precisam recordar-se das pessoas que perderam para elaborar a perda e encerrar seu luto.

Esta é a minha homenagem a Jim, que era uma boa pessoa. Ele já se foi e um dia seus assassinos vão ter de responder pelo que fizeram. Acredito firmemente num Deus que é amoroso, mas também justo.

Apesar de os assassinos de Jim serem apenas seus conhecidos, ele confiava neles, porque era de seu feitio confiar. As pessoas incapazes de prejudicar os outros costumam julgar os demais a partir delas mesmas. Infelizmente não é bem assim que acontece.

Segundo contou mais tarde, Jim pegou uma carona num carro com uma mulher e dois homens que acabara de conhecer. No meio do caminho, o motorista encostou o carro na calçada, freando tão abruptamente que o barulho chegou a acordar um casal na vizinhança. As testemunhas relataram que Jim, o motorista e a mulher saíram do carro. Os dois jogaram Jim no chão e passaram a agredi-lo com uma barra de ferro na cabeça de forma violenta. O terceiro do grupo juntou-se aos demais e intensificou a agressão. Finalmente partiram, deixando Jim desacordado.

Uma vizinha, que testemunhara o ataque, telefonou pedindo ajuda e ficou ao lado de Jim, esperando a ambulância. As únicas palavras que ele proferiu foram: "Onde está minha mulher?"

No hospital, Jim recuperou a consciência e pôde identificar os agressores que foram presos. Pediu a Diane que telefonasse para a mãe dela, que ele considerava como sua própria mãe. Falou com a sogra com voz debilitada: "Mãe, já estou indo para casa." Qualquer que tenha sido o sentido de suas palavras, o fato é que Jim morreu duas semanas depois. Diane tinha certeza de que ele não acreditava que fosse se salvar.

Ao entrevistar Diane para o meu livro, ela me contou que, três dias antes de nos conhecermos, Jim tinha se feito presente por meio de um sonho. Às vezes, os espíritos acham mais fácil nos alcançar nos sonhos, quando nossas defesas estão fracas.

Na sessão de grupo falei do sonho para Diane, transmitindo a mensagem de Jim, o que serviu para comprovar a presença dele. Jim abraçou sua mulher e disse: "Esperei tanto tempo por isso."

Diane vinha sentindo há algum tempo que Jim queria conduzi-la a um médium para confirmar sua presença junto dela. Quando lhe transmiti essa mensagem, ela entendeu a alegria do marido pelo fato de, depois de muito tempo, ela finalmente ter encontrado um meio de fazer contato com ele.

Durante a sessão, transmiti a Diane outra mensagem de Jim. Informei que ele a alertava sobre um homem de cabelo preto que não era confiável. Jim dissera: "Ele não mudou, então não se deixe enganar." Diane só foi comentar o significado da mensagem mais tarde, quando a entrevistei para este livro.

Diane disse que foi esta mensagem que a convenceu definitivamente da presença de Jim. Ela disse que seu marido era uma ótima pessoa, que confiava absolutamente em todos, exceto em um parente. Sua desconfiança era tanta que ele não permitia que esse homem freqüentasse sua casa.

O parente foi visitá-lo no hospital depois da agressão. Logo que ele saiu, Jim agarrou a mão de Diane, puxou-a para perto de si e sussurrou em seu ouvido: "Não confie nele, ele não mudou, então não se deixe enganar." Estas palavras tiveram um profundo significado para Diane. Apenas três pessoas sabiam do episódio: Jim, Diane e sua mãe. Ela nunca havia contado essa história para outra pessoa até aquele momento.

Quando Jim apareceu durante a sessão, deixou claro que era importante para ele reconhecer uma filha. Ao perguntar a Diane se essa menina existia, ela hesitou, mas acabou confirmando que ele tinha uma enteada. Transmiti a resposta para Jim, e ele mostrou-se irritado, dizendo que a considerava *sua* filha. Diane sorriu ao ouvir a reação do marido. Ela disse que Jim ficava furioso quando alguém se referia a Angie como sua enteada, e sempre corrigia. Mesmo na morte, seus sentimentos não haviam mudado.

Pedi a Diane para falar com Angie que Jim contou que brincava com seus netos, filhos dela. Quando, depois da sessão, Diane transmitiu a mensagem para Angie, ela disse que já sabia. Contou que seus filhos pareciam se divertir com algo aparentemente invisível. Diane me informou que tinha seis netos, mas Jim rapidamente a corrigiu: "Você, não – *nós* temos seis netos." Angie tinha um ano quando Jim entrou na vida de Diane.

O espírito de Jim me ensinou muitas coisas. Ele havia me mostrado um violão no início da sessão. O pai de Jim tocava violão, e Jim costumava acompanhá-lo nas gravações. O filho de Jim e Diane também tocava violão na adolescência. Portanto, o violão pode ter simbolizado a conexão entre avô, filho e neto. Foi bom saber que Jim e seu pai estão juntos no outro lado.

Quando uma pessoa viva está sofrendo a perda de um ente amado, o espírito do ser querido geralmente quer estar próximo para dar força.

Mas, às vezes, o resultado pode ser diametralmente oposto. Quando a energia de um espírito se encontra perto de nós, somos capazes de senti-la. Desejamos muito estar com a pessoa que se foi, sem perceber que de fato ela está presente, dedicando-se a nós e sentindo a nossa dor. Ao perceber nossa tristeza, o espírito se esforça ainda mais para passar uma energia que nos console, mas que pode provocar todo tipo de reação no sobrevivente: imagens piscando na mente, uma canção ouvida internamente, a sensação de uma corrente de ar frio e de estar sendo tocado por alguém.

Às vezes isso aumenta a dor e a saudade da pessoa viva. Mas

não creio que os espíritos tenham consciência de que estão agravando o sofrimento causado por sua perda. O efeito pode ser o mesmo quando um espírito quer estar em torno das pessoas queridas, mas elas acreditam que a lembrança do ente querido veio do nada.

Nessa situação, a reação comum é: "Há algum tempo que não penso nessa pessoa. O que será que me fez lembrar dela?" Na verdade, a energia do visitante nos faz recuperar os sentimentos e as lembranças relacionados a ele. Se estivermos abertos à idéia de que as pessoas queridas permanecem em nossa companhia após a morte, podemos entender a relação que temos com elas depois que morrem fisicamente.

Se você não conseguir vivenciar esse tipo de relação, pelo menos saiba que você e as pessoas queridas que já passaram para o outro lado estarão mais uma vez reunidos no momento de sua própria passagem. Não se apresse para esse reencontro. Estamos aqui para aprender e usufruir a vida, e esse dia chegará para todos nós.

Jim foi o único espírito que fiz vir para Diane naquele dia; ela esperava especificamente por sua visita. Fiquei encantada com sua bondade, ternura e humor. Quando ele começou a retirar sua energia, a última coisa que disse para Diane foi: "Vamos ficar sempre juntos, e, quando chegar o dia da sua passagem para o outro lado, vou estar lá para recebê-la."

Jim estendeu carinhosamente a mão, como se fosse tomar as de sua mulher. Diane expressou serenidade e alegria. Disse que se encontrava totalmente envolvida por um sentimento de calma, tranqüilidade e bem-estar depois da sessão. A história de Jim e Diane constitui um dos estímulos que me leva a querer continuar fazendo o que faço.

Capítulo 14

Trevor

Quando Domini soube que estava morrendo, ela procurou os velhos amigos, um dos quais foi Stacey. Conheci Stacey 13 anos antes, por intermédio de Domini. Durante a adolescência, freqüentávamos os mesmos lugares, mas não ficamos íntimas.

Numa reunião que organizei para que Domini pudesse rever os velhos amigos antes de morrer, reencontrei Stacey. Descobrimos que morávamos muito próximas e que tínhamos várias afinidades. Marcamos então um encontro para reunir nossos filhos na semana seguinte.

Stacey estava grávida de seu segundo filho, para quem ela já escolhera o nome de Trevor, e, como toda mãe, mostrou-se ansiosa para exibir as imagens da ultra-sonografia de seu filho. Ao entregá-las a mim, perguntou:

– Domini me disse o que você faz. Você acha que tem algo de errado com meu filho?

De início hesitei, mas depois passei minha mão pelo ultra-som e ela parou na região abdominal.

– Ele é perfeito até aqui – falei, apontando para os rins.

– Ah, é. O médico disse que um dos rins é maior do que o outro, mas que isso é normal em meninos e vai se corrigir no útero – Stacey afirmou.

Fiquei em dúvida se deveria usar de toda a sinceridade e preocupar uma mulher grávida, de quem esperava ficar amiga, ou se devia mentir e deixar que Stacey descobrisse quando a gravidez estivesse mais avançada.

– Você pode me contar – ela me incitou.

– Bem, ele tem um problema grave nos rins, mas é corrigível. Há um procedimento médico a ser feito no próprio útero.

– Você quer dizer uma cirurgia? – Stacey perguntou. – Eles falaram que não fariam nada antes do nascimento do bebê e que o problema se corrigiria no útero.

Como era de se esperar, Stacey ficou nitidamente perturbada com a informação. Sua ansiedade chegou a tal ponto que ela decidiu voltar ao médico para um novo exame, esperando que tudo estivesse bem. Mas, infelizmente, não foi o caso. Os exames confirmaram que talvez Trevor estivesse passando por uma falência renal e que o volume do líquido amniótico estava baixo. Recomendaram um especialista, que confirmou que seu estado não era bom.

Stacey me ligou aos prantos:

– Você estava certa, há um problema.

Essa é uma das situações em que eu adoraria ter me enganado.

O médico ficava repetindo "Sinto muito, Stacey". Ela perguntou sobre as chances de sobrevivência de Trevor. O médico respondeu que iria consultar outros colegas e daria um retorno.

Os médicos resolveram repetir os exames, mas o resultado foi pior. Stacey me ligou para ser consolada e eu lhe disse com convicção:

– Ele vai ficar bem, Stacey. Vai ser a experiência mais difícil pela qual você vai passar na vida, mas posso afirmar que Trevor vai nascer e ficar bom.

Sempre tenho algum receio de estar errada, mas acreditava no que transmitia.

Então recebi uma mensagem do avô de Stacey do outro lado. Ele dizia que estava "remendando" (termo que, segundo ela, o avô usava muito) o problema de Trevor à sua própria maneira, para tentar resolver. O avô passou informações detalhadas, queixando-se inclusive de que ninguém dava corda no seu relógio-cuco e pedindo a Stacey para fazê-lo. Descrevi para ela o relógio marrom com folhas de hera. Stacey identificou-o imediatamente. Essa comunicação foi importante para confirmar a presença do avô. Ele queria transmitir que ela não estava sozinha e que ele fazia o possível do outro lado.

Na semana seguinte, o novo médico especialista de Stacey, Dr. Foley, sugeriu um procedimento que estava sendo usado na Inglaterra para produzir uma quantidade suficiente de líquido amniótico que manteria Trevor vivo até o nascimento. A cirurgia foi marcada para a véspera do dia de Ação de Graças, e Stacey encheu-se de ânimo.

No entanto, a peça necessária para o procedimento quebrou, inviabilizando a intervenção e eliminando a esperança de Stacey ver seu bebê vivo. Ela me ligou muito triste, preocupada com Trevor que talvez não sobrevivesse àquele fim de semana. O líquido amniótico estava demasiadamente baixo, e sem ele o bebê não conseguiria respirar. Tentei consolá-la:

– Ele está bem. É frágil, mas tem muita força.

Stacey esforçava-se para acreditar em mim. Na segunda-feira, o médico fez outro ultra-som, e Stacey esperou o resultado com uma tensão que beirava o pânico. Para surpresa de todos, o médico, animado, apontou para o aumento do fluido amniótico que agora estava no nível normal. Ele só havia visto isso acontecer uma vez na vida, e trata-se de um caso registrado. Trevor foi um verdadeiro milagre.

Estabeleci um laço com Trevor ainda no útero. Eu soube o que ele sentia, a sua aparência e temperamento, e se ele precisasse de força eu estaria ali para lhe dar. Consultei várias vezes meus guias e todos me asseguraram que o bebê iria ficar aqui e que havia muitas forças ajudando-o.

No dia 18 de fevereiro de 2001, meu afilhado Trevor Jon (nome do avô de Stacey) Michael (nome do Dr. Foley, a quem Stacey será grata para sempre) nasceu. Eu estava presente quando ele veio ao mundo. Apesar de ter nascido quatro semanas antes do prazo, o bebê pesava três quilos e seiscentos!

Antes de Trevor nascer, eu tinha dito a Stacey que seus olhos seriam claros, puxando à família dela, mas que herdaria o cabelo ondulado do pai. Ele teria um corpo atlético e seria o bebê mais tranqüilo e feliz do mundo. Sua aparência e jeito são exatamente os que vi quando ele ainda estava no útero. Eu já o conhecia muito antes de sermos apresentados pessoalmente.

De fato, Trevor teve que ser operado logo após o nascimento, mas Stacey não ficou muito preocupada porque eu já lhe havia mencionado isso quatro meses antes. Quando tudo acabou, tive certeza de ter agido corretamente ao falar com Stacey sobre os problemas de Trevor.

Também contei a Stacey que, aos seis meses, Trevor interromperia uma medicação, o que aconteceu. Ela me perguntou sobre uma cirurgia a que ele deveria se submeter após um ano de idade, mas eu disse que seria entre o sexto e o nono mês e que ele ficaria bem. Os médicos insistiam em esperar que Trevor fizesse um ano.

Bem, meu afilhado se submeteu à cirurgia aos nove meses de idade, e os médicos disseram que, se fosse mais tarde, haveria complicações.

Quero esclarecer que outras forças – além das minhas – estavam se ocupando de Trevor. Ele já nasceu protegido. Era de Stacey que eu estava cuidando com minhas previsões. Hoje ela sempre usa sua intuição, e a capacidade de confiar no próprio instinto tem beneficiado seu filho e sua vida. A intuição é muito importante no campo da saúde. Se algo na orientação do médico lhe causa insatisfação, vá sem hesitar atrás de uma segunda opinião.

Já aprendi muitas lições valiosas com Trevor. Uma delas é o incrível poder da fé. Invista para manter e aumentar a sua fé. Outra é que a intervenção do outro lado prova que o amor continua, mesmo depois da travessia. Nunca subestime o amor eterno. Também me dei conta de como uma crise pode aproximar as pessoas ou separá-las. Stacey é minha melhor amiga e sempre nos lembraremos da gravidez do Trevor, conscientes de que nos aproximamos unidas por uma causa.

Uma vez fiz uma sessão para uma mulher jovem que tinha perdido o marido e não conseguia se recuperar da dor da perda. Fiquei quase toda a sessão dando-lhe detalhes sobre o marido e as mensagens que ele enviava. Minha cliente me perguntou se iria ter filhos, pois tinham lhe dito que provavelmente ela não conseguiria. Falei que de fato havia uma cicatriz, mas que ela conseguiria engravidar e dar à luz uma criança dentro de dois anos. Fico feliz em poder dizer que um ano depois ela teve duas filhas gêmeas.

Uma outra situação médica que vale a pena citar se deu com a pessoa mais próxima de mim. Num dia, durante o café da manhã, o avô falecido de Joe surgiu me dizendo que Joe precisava ir ao médico para fazer um exame do coração, e que ele entenderia a mensagem, já que problemas cardíacos são comuns em sua família.

Como Joe sabe que minhas mensagens devem ser levadas a sério, ele marcou uma hora com um médico que o fez passar por uma série de exames. Os resultados acusaram taxas extremamente elevadas de triglicerídeos e colesterol. Eu já havia lhe dito que temia seus quarenta anos. Realmente, o médico afirmou que Joe teve sorte em averiguar suas condições na ocasião; caso contrário, poderia sofrer um ataque cardíaco aos quarenta. Por várias razões, sou grata a Deus pelo meu dom, mas principalmente porque meu marido vai estar aqui para ver suas filhas crescerem.

Houve muitas ocasiões em que aconselhei pessoas a fazer um raio-X do tórax, ou qualquer outro exame médico, que acabou acusando um tipo raro de tuberculose ou um estágio inicial de câncer de mama. No meu entender, é como se me dessem uma abertura para que eu pudesse intervir por aqueles que precisam de orientação vinda do outro lado.

De vez em quando me deparo com um caso em que não há intervenção possível. Já tive muita dificuldade por conta disso. Quando nos acostumamos a fazer o bem para os outros, é difícil aceitar que não podemos ajudar todo mundo. Às vezes o destino de alguém pressupõe uma lesão ou uma morte prematura. Por quê? Porque sem alguma infelicidade não seríamos capazes de valorizar a vida. O mais surpreendente é que às vezes há intervenção do outro lado e as rezas são atendidas.

CAPÍTULO 15

Apaixonado por uma médium

depoimento do marido de Allison, Joe

Allison me perguntou se eu gostaria de acrescentar algo em seu livro. Fiquei surpreso. O livro é um projeto dela. Teoricamente sou o único desprovido de dom mediúnico na família. Afinal de contas, sou engenheiro espacial. Nunca vi um fantasma. De qualquer forma, eu me senti honrado e aceitei sua oferta.

Por onde começar? Devo falar sobre como nos conhecemos? Ou sobre quando descobri que minha esposa era médium-sensitiva? Sobre o nosso dia-a-dia? Quem acaba vencendo nas nossas discussões? Ela consegue sempre ler a minha mente? Estas são perguntas que me fazem freqüentemente, por isso acho que vale a pena abordá-las. Para mim, as coisas mais interessantes são as que Allison não lhes contaria.

A primeira vez em que vi Allison foi como se uma luz vinda de cima brilhasse sobre ela. Estava rodeada de paqueras em potencial, mas obviamente não se interessava por nenhum deles. Apesar de termos sido apresentados de forma meio confusa, conseguimos nos comunicar. Fiquei algumas semanas sem vê-la, mas depois começamos a sair e, após um ano, já estávamos noivos. Até esse momento, eu não sabia que ela era médium-sensitiva, muito embora tivesse a impressão de que Allison sempre adivinhava os meus pensamentos. Claro que isso não me surpreendia, pois a maioria das mulheres costuma adivinhar os pensamentos dos homens.

Uma das primeiras vezes em que Allison revelou um indício de suas aptidões foi na viagem que fizemos a São Francisco para participar nosso noivado a seus pais. No percurso visitamos um parque de diversões.

Lá fizemos um jogo no qual uma das duas pessoas tenta adivinhar em que a outra está pensando. A instalação consiste em um painel que impede as duas pessoas de se verem. De cada lado do painel há um conjunto idêntico de botões correspondendo a uma forma, seja círculo, estrela ou quadrado. Uma pessoa escolhe uma forma e aperta um botão. Então a outra pessoa tenta apertar o botão correspondente sem ver o adversário. Há um conjunto de luzes que indica se a pessoa acertou, e um barulho horrível para indicar que errou.

Allison escolheu o botão certo cinco vezes seguidas. Fiquei confuso. Só havia uma chance em 3.125 de aquilo acontecer. Achei que a máquina estava quebrada e fui verificar. Não estava. Continuamos repetindo, e ela continuou acertando. Eu devia ter me ajoelhado e pedido sua mão naquele momento!

Mesmo assim, ela ainda não revelou seu dom mediúnico. Não bastava que ela sempre soubesse das intenções das pessoas ou adivinhasse o final das histórias. Era também uma motorista formidável, sempre antecipando o que iria acontecer no tráfego. Essas coisas são muito sutis, e além do mais eu estava apaixonado e achava o máximo tudo o que ela fazia.

Logo antes de eu ficar ciente de seu dom, uma coisa estranha aconteceu. Numa tarde, quando estávamos na fila de uma lavagem de carro automática, Allison olhou para o carro da frente e começou a rir.

– Não seria engraçado se o carro da frente estivesse cheio de espuma e a máquina quebrasse antes de enxaguar?

Por mais incrível que possa parecer, foi exatamente o que aconteceu. O cara na nossa frente esperou um minuto, saiu do carro e olhou em volta com a expressão mais engraçada do mundo. Depois tirou o carro e deve ter ido se queixar à gerência.

Na ocasião, eu não tinha certeza se Allison simplesmente previa o futuro ou se de fato era capaz de fazer as coisas acontecerem. Mas a extensão de seu dom seria logo revelada e então eu começaria a ter as respostas para muitas das minhas intermináveis perguntas.

Um dia, os sentidos de Allison estavam em um volume mais elevado do que de costume. Ela via todos os tipos de espírito pela casa e estava irrequieta. Perguntei o que a estava incomodando.

– Como se você não soubesse! – ela respondeu. É claro que eu não sabia. Eu não conseguia vê-los. Repeti a pergunta várias vezes e finalmente ela me disse o que estava vendo. Depois que percebeu que, apesar de não vê-los, eu não a rejeitaria por seu dom, as mensagens de meus parentes falecidos começaram a jorrar.

Meu pai foi um dos primeiros a vir. Ele tinha morrido dois meses e meio antes de eu conhecer Allison. Eu sentia saudade dele e desejava muito que os dois tivessem se encontrado. Allison me falou da mesa de desenhar onde, menino, eu montava os aeromodelos, enquanto meu pai me observava por cima do ombro. Forneceu detalhes dos aviões que montei e pendurei acima da minha cama, além de descrever meu quarto de criança. Ela sabia de coisas que só teria condições de saber por meio da mediunidade. Foi um modo formidável de me apresentar a seu dom. Acho que ela também ficou aliviada por se abrir totalmente para mim.

A vida cotidiana com Allison não é tão difícil como pode parecer. É diferente. Algumas pessoas gostam do ditado "É mais fácil pedir perdão do que permissão". Bem, isso não funciona com Allison. Ela se sente traída porque sabe imediatamente que você mentiu para ela. Aprendi desde o início do nosso casamento a ser absolutamente sincero. Os pequenos desentendimentos são logo esquecidos quando tratados antes do fato.

Allison tem o que ela própria define como memória vívida. Ela consegue se lembrar de tudo. Muitos maridos alegam que suas esposas têm essa aptidão, e deve ser verdade. Mas Allison se lembra nitidamente de roupas, pessoas, comidas, presentes e o ambiente de aniversários e férias que tivemos na última década.

Nunca tenho que me preocupar com a possibilidade de perdê-la em um shopping. Ela sempre sabe exatamente onde estou. Às vezes me esqueço de que outras pessoas não irão me encontrar tão facilmente quando saio com elas.

A maioria dos casais felizes sente uma forte sintonia e conexão entre si, mas imagine isso ampliado para uma potência cem vezes maior. É o que nos acontece.

Allison freqüentemente faz uso dessa conexão invisível para facilitar nossa vida. Ela quase sempre me telefona quando estou pensando nela. Outras vezes, ela me diz para levar algum dinheiro numa ida rápida ao mercado. Só vou entender a razão do conselho quando chego à loja e a máquina do banco está quebrada. Agora já me acostumei com essas coisas.

Muitas noites ela fica retransmitindo as mensagens dos mortos para mim. A maioria é de parentes, mas há também as de pessoas famosas. Os espíritos geralmente trazem algo que autentica sua veracidade. Por exemplo, meu avô disse que sentia falta especialmente da sopa de mexilhões de Boston. Liguei para minha mãe e ela confirmou que a sopa de mexilhões era um dos pratos favoritos de seu pai.

Certa ocasião perguntei sobre Albert Einstein, e Allison descreveu as ruas transversais da universidade em que ele estudava na Alemanha. Também me transmitiu mensagens sobre fatos futuros, alguns dos quais estou aguardando a confirmação.

Em todo o livro há exemplos das coisas maravilhosas que Allison realiza. Mas isso é apenas um aspecto dela. Além de seu dom, ela é uma ótima esposa, mãe e amiga. Como todo mundo, Allison fica cansada depois de um dia de trabalho. Ela gosta de se desligar assistindo a programas bobos na televisão, como os de auditório e os humorísticos. Mas, às vezes, ela muda para um programa de ciência judicial em que estão extraindo a larva de um inseto do nariz de um cadáver em decomposição para reunir provas contra o criminoso. Pergunto-lhe se é relaxante, mas ela nem responde, por se encontrar hipnotizada.

Como cientista, espero ter uma explicação para sua aptidão. Venho estudando seus hábitos e aplicando alguns pequenos testes. Tenho esperança de um dia poder oferecer uma explicação sobre o que minha mulher faz. No entanto, acho que a pergunta "Por que ela?" não será totalmente respondida nesta vida.

Capítulo 16

A ciência e o outro lado

Rato de laboratório

No inverno de 2001, eu estava assistindo a um programa de televisão onde apareceu uma reportagem sobre o Dr. Gary Schwartz e John Edward. A aptidão mediúnica de John Edward estava sendo testada, e o Dr. Schwartz descrevia sua pesquisa sobre a sobrevivência da energia humana após a morte. Meus guias me informaram que eu devia entrar em contato com o Dr. Schwartz para fazer parte de sua pesquisa. Meus guias nunca se enganam, mas eu desconhecia o que era um médium de pesquisa. A idéia de fundir a ciência com o outro lado me agradava, mas eu não sabia se poderia ser útil.

O Dr. Schwartz é diretor do Laboratório de Sistemas de Energia Humana da Universidade do Arizona, em Tucson. É mundialmente famoso por sua pesquisa acadêmica sobre a vida depois da morte. Levei um mês para conseguir uma reunião com esse homem superocupado. Caso você, como médium, espere uma comprovação de seu dom por parte de Gary, esqueça. Quando Gary olha para você, é para estudá-lo, não para elogiá-lo. Gosto disso nele. É um cientista, não um tiete. Hoje em dia refiro-me a mim mesma, ironicamente, como rato de laboratório.

Fui ficando cada vez mais interessada no encontro. Eu estava buscando um terceiro elemento para a ratificação científica. Não queria um simples tapinha nas costas, mas ter uma avaliação do meu dom. Estava disposta a aceitar se estivesse errada, ou até mesmo se não passasse no teste. Mas tinha de saber se o que eu de fato era correspondia às minhas expectativas. Queria a resposta de um acadêmico que tivesse conhecimento em espiritismo.

Após um mês de espera, finalmente chegou o dia de ir a Tucson e conhecer o Dr. Shwartz. Imediatamente ele quebrou qualquer formalismo, insistindo para que eu o chamasse de Gary. Além de modesto, foi simpático e elegante.

Ao nos sentarmos, Gary começou a explicar que o momento do nosso encontro era interessante, pois fazia apenas dois dias que perdera alguém muito querido. Enquanto ele falava, vi um espírito masculino ao seu lado.

"Ótimo", pensei. "E se ele não quiser ouvir um parente neste momento?" Às vezes os que se encontram no outro lado ficam impacientes.

O espírito masculino pegou uma chave-inglesa e começou a bater de leve com ela na cabeça de Gary. Foi tão engraçado que eu mal consegui ficar séria enquanto ouvia as sábias palavras de Gary. Acabei não conseguindo me concentrar mais.

– Gary, há um homem com você que é seu tio ou tio-avô. Ele não é acadêmico como você. Está segurando uma chave-inglesa e batendo de leve na sua cabeça de brincadeira. Ele é mecânico. Trabalha com ferramentas e sabe consertar bem as coisas. É um cara simples e prático.

– Tudo bem – Gary disse. – Falaremos disso depois do teste.

Respirei fundo e continuamos. Gary estava interessado em me testar para ver se eu traria alguma mensagem ou comunicação sobre a pessoa recém-falecida. Não forneceu nenhuma outra informação – nem idade, sexo ou circunstâncias da morte.

Após uma breve pausa, eu disse:

– Estou vendo uma senhora. Ela é pequena, de cabelos brancos e tem um cachorrinho com ela.

Fiquei um pouco frustrada, pois é comum mulheres idosas com cachorrinho morrerem. Acho que preferiria falar de um garoto com argola no nariz ou um homem usando uma túnica com bolas roxas, algo diferente. São os pequenos detalhes que definem uma pessoa e acrescentam um impacto à sessão.

O Dr. Schwartz continuou sentado por um tempo e depois disse:

– Continue.

Eu estava muito nervosa, pois o Dr. Shwartz se formou em Harvard e ensinou tanto lá como em Yale. É um acadêmico respeitado, e eu queria exceder suas expectativas em relação a mim. Além disso, ele trabalha com os médiuns mais conhecidos do mundo e eu queria causar uma impressão marcante nele. O que não seria fácil. Recebi uma imagem que piscou, mas não quis revelá-la por parecer insignificante.

Parece que minha expressão facial me traiu, porque o Dr. Shwartz me incentivou:

– Simplesmente fale tudo o que receber. Não tem importância se estiver errado.

– Estou vendo um pequeno jornaleiro em uma esquina na cidade de Nova York. Ele está segurando um jornal e me mostrando. A pessoa no outro lado está dizendo: "Eu não ando sozinha."

O Dr. Schwartz anotou isso.

– As flores são importantes para a sua amiga – acrescentei. Ele não respondeu.

Continuei fornecendo muitos outros detalhes pessoais até o final da sessão.

Quando a sessão terminou, ele disse:

– Deixe-me contar a você o que essas informações significam.

Eu mal conseguia esperar para ouvir. Talvez tivesse errado o sexo, a idade e centenas de outras coisas. Que aflição! Justo agora eu não podia errar.

Ele começou me dizendo que a pessoa que acabara de morrer se chamava Susy Smith e de fato era uma mulher idosa. Tinha 89 anos, quase noventa. Eles foram colegas e ficaram bons amigos. Ela era pequena, tinha cabelos brancos e já trabalhara como jornalista na cidade de Nova York. Realmente ela tivera um cachorrinho que adorava e que morrera há alguns anos.

A frase "Eu não ando sozinha" também foi significativa para Gary. Antes de morrer, Susy havia expressado sua esperança de andar novamente no outro lado. Quando morreu, ela dependia de uma cadeira de rodas. Por meu intermédio, Susy comunicou a Gary que estava novamente sadia. Além disso, ela sempre adorou crianças, mas nunca teve filhos. Eu a descrevera ao lado de um menino. Agora Susy estava cuidando de crianças e querendo informar a Gary que, no outro lado, ela caminha entre as crianças.

Quanto às flores, eu estava certa, porque Susy costumava pintar tipos diferentes de flores. Houve muitas informações que convenceram Gary de que Susy estava viva e bem no outro lado. Gary então me respondeu sobre o tal espírito masculino que eu vira ao seu lado.

Gary disse que tinha um tio que costumava pregar peças nele quando criança. O tio era dono de uma loja de material de construção e levava jeito para a mecânica. Parece que o tio de Gary ainda está aprontando das suas no outro lado. Para o médium é importante ter uma confirmação, pois ela nos permite compartilhar momentos pessoais das pessoas que estamos recebendo. Sinto-me abençoada por conhecer espíritos tão interessantes que comunicam mensagens aos que ainda os amam.

Em abril de 2001 houve outro teste. O Dr. Schwartz tinha feito uma pergunta para a sua falecida amiga Susy. Ele queria que ela ouvisse sua pergunta e a respondesse por meio de um dos médiuns integrantes da pesquisa. Não podíamos saber qual era a pergunta, e o teste foi feito individualmente.

O Dr. Schwartz me perguntou se eu sabia a resposta. Que pressão! Eu tinha a sensação de se tratar de alguma coisa que Susy queria lhe legar. Apareceu várias vezes em minha mente uma cena de *O mágico de Oz*, onde Dorothy está segurando uma cesta com seu cachorrinho. Descrevi a cena, e o Dr. Schwartz me pediu para elaborar o que eu estava vendo.

Enquanto ele registrava no gravador suas anotações, eu sussurrei:

– O cachorro dela.

Ele se empertigou.

– O que você disse?

– O cachorro dela – repeti. – Quem está com o cachorro dela? Ela quer que você fique com ele, pois acha que ninguém vai amá-lo tanto quanto você.

Continuei, e no fim da sessão soube da pergunta que o Dr. Schwartz tinha feito a Susy: "Para quem você quer que eu leve o seu cachorro?" Isso é o que chamo de médium nota dez. Marquei ponto!

As pessoas me perguntam o que acho de Gary. Ele é um homem notável e um cientista de alto gabarito. Respeito sua visão, seu humor e energia. Já deu para entender que o admiro muito.

O fato de ser médium da pesquisa de Gary me ajudou a concentrar-me mais no meu dom. Minha aptidão era crua quando o conheci, desprovida de uma estrutura que me ajudasse a ampliar os limites da minha aptidão. Como conseqüência dos testes de laboratório e dos desafios colocados por Gary, tornei-me mais audaciosa em minhas sessões. Há uma grande diferença entre ser capaz de receber o nome de um parente falecido e de responder a uma pergunta específica feita para o outro lado sem estar a par dela. Realmente, tive de aprender a me concentrar mais para poder realizar algo com tal nível de dificuldade.

Uma das razões do desafio é que a pergunta feita à pessoa falecida pode ser vista como uma exigência ao morto. Não é necessariamente uma sessão baseada na emoção, é acadêmica. Uma cientista falecida, como Susy, pode se interessar em participar, enquanto outros, não. Além disso, os médiuns não passam de secretários dos mortos. Simplesmente relatamos o que o morto diz.

O que caracteriza as sessões de laboratório é o fato de o médium não ser capaz de estabelecer uma conexão emocional com o espírito no outro lado através da conexão emocional de quem evoca. Quando faço uma sessão, percebo os sentimentos que ligam o espírito ao meu cliente. Recebo recordações que conectam os dois, assim como as imagens de objetos que podem criar um vínculo entre eles. Quando as energias físicas dos dois se encontram presentes – a do ente querido perdido e a do cliente que evoca –, torna-se mais fácil para mim, como médium, estabelecer uma conexão física entre os dois.

Quando trabalho para o laboratório, muitas vezes o cliente que evoca não se encontra presente. Não me dizem seu sexo, idade ou algo que eu possa associar a alguém. Simplesmente recebo a informação do outro lado e a transmito ao laboratório, que por sua vez a repassa ao cliente para a sua confirmação.

Embora o resultado pareça ser o mesmo, com ou sem a presença da pessoa que evoca, eu pessoalmente me sinto um pouco vazia quando esta não se encontra na minha frente. Sem saber se estou conseguindo criar uma ponte para quem evoca, perco os dados sobre a conexão pessoal que ocorre quando me sento com um cliente. No entanto, é um preço baixo a ser pago pelo bem da ciência. Espero, com a minha participação, poder melhorar a situação dos médiuns que me sucederem.

É uma experiência única ser médium de laboratório. Aprendemos a confiar em nossa comunicação, por mais estranha que possa parecer, e transmiti-la para ser documentada. Também aprendemos a funcionar em condições adversas e por encomenda.

Os médiuns de pesquisa costumam ser diretos e objetivos com a informação, e por vezes precisamos nos lembrar de ser mais sensíveis. Em cada sessão, me conscientizo de que ser honesta e sensível com meu cliente é de suma importância. O fato de ser médium de laboratório me fortaleceu e me ensinou infinitas lições de vida.

Para mim é muito importante testar meu dom. Não só adquiro mais confiança como tenho a oportunidade de aprimorar minhas aptidões. Faço isso tomando nota das informações que recebo, de como elas chegaram a mim e da sensação que causam. Vejo as informações mediúnicas com olhos abertos. Aprendi, entre outras coisas, que os que estão no outro lado só podem transmitir mensagens através de conceitos que me são conhecidos, tais como nomes, imagens e lugares. Em outras palavras, para transmitir a mensagem, devo antes compreendê-la. Assim, minhas próprias experiências de vida caminham lado a lado com a utilização de meu dom.

Por exemplo, como tenho conhecimentos no campo jurídico, principalmente na área de homicídio, quando recebo uma vítima de assassinato tenho facilidade de entender as sentenças e as informações de tribunal sobre os criminosos. Possuo uma aptidão especial para penetrar na mente dos criminosos. Notei que o conhecimento médico de John Edward é muito útil para revelar causas de morte e diagnósticos médicos. Os médiuns têm especialidades. Os pontos fortes e o estilo de cada um variam, intensificando nossos dons. A variedade faz bem.

Uma vez eu estava a negócios em Tucson e aproveitei para marcar um jantar com Gary em um restaurante mexicano, a fim de colocar o papo em dia. A iluminação suave do restaurante relaxava os olhos e eu me sentia muito bem com Joe, Gary e minha amiga Catherine.

Depois de fazermos os pedidos, Gary falou que tinha um desafio para mim. Quero esclarecer que não se tratava de um teste de laboratório, mas simplesmente um desafio informal.

Gary me disse que Susy, sua amiga no outro lado, talvez fizesse uma visita a uma criança, que pedia para ver e ouvir Susy. A pergunta dele era: "Quem é a criança e o que você sabe a respeito da mãe dela?"

Encostei-me na cadeira e pensei na pergunta.

– Estou vendo uma criança, no hospital, que perdeu o cabelo.

Falei para Gary o nome da criança, mas errei por uma letra. Forneci outras informações e mensagens de amor para a criança.

Gary nos disse que a criança tinha câncer, mas ele iria verificar se ela perdera o cabelo. Mais tarde, confirmou.

Depois, Gary perguntou:

– Onde é que Susy visita a criança?

– Na cama dela – Gary confirmou.

A criança de quem falo é animada e possui uma energia irradiante. Ela também tem o dom e está aprendendo a defini-lo. Esta é, em parte, a razão pela qual Susy a escolheu para se conectar do outro lado.

Gary então perguntou:

– E a mãe dela?

– Sinto que a mãe é uma paranormal que já esteve na televisão – respondi.

Susy então me mostrou uma imagem de Stevie Nicks, apresentadora do Fleetwood Mac, um programa de televisão. Olhei para Gary e disse:

– Laurie Campbell. É Laurie Campbell?

– Você está perguntando ou afirmando? – ele riu.

– Estou afirmando.

Eu nunca vira Laurie Campbell, nem mesmo em retrato. Mas, por alguma razão, sempre que ouvia o nome de Laurie durante a pesquisa no laboratório a imagem de Stevie Nicks vinha imediatamente à minha cabeça. Sei que era Susy orquestrando essa associação visual para que eu pudesse deduzir.

Gary não sabia explicar por que associei Stevie Nicks a Laurie porque não está muito a par do Fleetwood Mac, mas confirmou que a mãe da menina era Laurie Campbell. Eu não sabia nada da vida pessoal de Laurie, a não ser que se tratava de uma médium competente da pesquisa. Susy acessou a única informação que eu tinha armazenado sobre Laurie.

Felizmente eu respondera a Gary. Algum tempo depois, quando falei com Laurie Campbell pela primeira vez, contei-lhe da associação com Stevie Nicks. Laurie disse que de fato conversara com Susy antes de sua morte. Na ocasião, Laurie falara a Susy sobre a semelhança do estilo de seus vestidos com os de Stevie Nicks, assim como de outras características em comum entre as duas.

A informação demonstrou mais uma vez que o que não significa nada para uns pode ser importante para outros. Susy dedicou seu tempo e energia na Terra para provar a existência da vida após a morte. Enquanto caminha no outro lado, Susy deseja sempre provar que a energia humana continua a existir depois da morte.

"Você deve estar brincando!"

Em nome da ciência, fiz sessões para várias pessoas. Houve uma que provocou acessos de riso no sério professor Schwartz durante nossa conversa telefônica.

Recebi o telefonema de Gary na hora marcada para o teste de laboratório que foi gravado e mais tarde transcrito. O teste foi organizado em forma de teleconferência entre Gary, o cliente e eu. Tanto Laurie Campbell como eu fomos utilizadas individualmente para o teste.

A sessão transcorreu da seguinte forma: caso houvesse comunicação, eu tinha de dizer o que estava recebendo sobre o cliente. Senti como se uma barragem rompesse e me inundasse de informações que coloquei claramente para o cliente, que não poderia falar comigo antes do término do relato das informações.

Não vou revelar detalhes sobre os aspectos pessoais da sessão dessa pessoa, pois, por ser uma personalidade muito conhecida, devo preservar sua privacidade. Eu sabia que se tratava de alguém importante, pois seu falecido pai disse que ele carrega o mundo nas costas.

Bem, que responsabilidade! Passei a aconselhá-lo sobre o que deveria fazer para cuidar de sua saúde. Transmiti mensagens de seus entes queridos e conduzi a sessão como se fosse para qualquer cliente comum. Falei das causas da morte do pai e forneci informações pessoais sobre seus parentes falecidos. Senti muita satisfação em poder conectar.

Depois de concluída a sessão, Gary me perguntou:

– Sabe para quem você acabou de trazer as mensagens?

Respondi que não.

– Allison, foi para Deepak Chopra!

Mais tarde, o Dr. Chopra avaliou as informações como sendo aproximadamente 80% corretas.

A maioria das pessoas sabe quem ele é. Para os que não o conhecem, Deepak Chopra é um dos autores mais conhecidos, além de ser uma pessoa muito espiritualizada. É engraçado aconselhar um homem sábio que também está conectado a pessoas muito sábias. Ele publicou numerosos livros de auto-ajuda que se tornaram best-sellers, e costuma aconselhar chefes de estado, celebridades e membros da realeza. E lá estava eu, ajudando-o!

Confessei-lhe que me sentia honrada com aquela sessão. Fiquei feliz por poder devolver alguma coisa a um homem que doa tanto de si aos outros. Algumas pessoas são doadoras, outras são recebedoras e a maioria se encontra no meio. Quando alguém dá mais do que recebe, acaba exaurido. Quem recebe mais do que dá exaure os outros. Todos precisamos de uma troca harmoniosa de energia para chegarmos a um equilíbrio. Tive esperança de ter contribuído com algo significativo. Depois de conversar alguns minutos com Deepak, ouvindo a risada de Gary ao fundo, o teste foi concluído. Não vou me esquecer nunca dessa sessão.

Sou mesmo uma médium

Enquanto escrevia este livro, tive a oportunidade de fazer um teste para um programa de televisão. Os produtores queriam uma amostra do meu talento por meio de uma teleconferência com um de seus executivos, chamado Brian. Prefiro fazer a sessão com o cliente presente, e por isso fiquei um pouco desconfiada. O dia da entrevista chegou e eu me preparei para a sessão por telefone.

Minha primeira observação foi que havia uma tragédia vinculada à irmã de Brian. Seu ente querido que estava no outro lado me mostrou um carro que tinha um significado especial para ela. Afirmei que a pessoa morrera por ter ficado incapacitada de respirar. Isso foi crucial para Brian confirmar a comunicação, levando-me a continuar elaborando e fornecendo detalhes pessoais para a irmã dele. Transmiti as informações que iriam confirmar a presença de seu amigo falecido.

Também disse a Brian que sua irmã se casaria com o amor da vida dela. Isso não fez sentido para ele, pois a irmã mantinha naquele momento um relacionamento com um homem muito aquém do ideal. Um mês após a sessão, porém, ela foi a uma reunião de ex-alunos e começou a namorar um antigo colega de turma. Marcaram o casamento para outubro de 2002.

O avô de Brian também veio e falou de um acordeom. Gosto desse instrumento musical por não ser um objeto comum. Algo incomum é sempre mais convincente para confirmar a presença do ente querido para o cliente.

Depois que desliguei, meu marido quis saber como tinha sido. Foi uma sessão consistente. Eu estava satisfeita. Disse a Joe que tinha certeza de que me chamariam para fazer uma sessão com outro executivo. Não deu outra. Na semana seguinte recebi um convite para fazer uma sessão para Karen, vice-presidente de criação do canal de televisão. Uma outra sessão telefônica! Será que eu deixaria passar essa chance? Nunca!

Karen me ligou cinco dias depois. Estava animada e foi simpática. Conectei-me com um amigo dela no outro lado. Ele descreveu a cidadezinha em que cresceram, assim como a casa de Karen em sua infância – por dentro e fora – onde eles costumavam brincar. Seu amigo também desenhou um balanço feito de tábua e corda, pendurado na árvore.

A sessão correu bem, mas sem grandes emoções. Não houve as informações impactantes que estou acostumada a dar. Mas, no final, apareceram o Pernalonga e as letras WB. Perguntei se Karen tinha trabalhado para a Warner Brothers.

Ela ficou chocada. "Claro! Não só trabalhei como amanhã tenho uma reunião lá." Aquela seria sua primeira visita à WB desde que deixara a empresa. A coincidência da informação causou um impacto.

Então perguntei sobre uma viagem à Europa que ela estava prestes a fazer ou tinha acabado de fazer. Esse fato também foi confirmado. Naquele momento ela estava se preparando para uma viagem à Europa. Karen ficou muito feliz com a sessão.

Tive de ir a Los Angeles por conta de um teste para um programa. Mais de cem pessoas dotadas foram analisadas, e eu estava entre as 18 selecionadas para o teste em frente às câmeras, na Paramount.

Fui a primeira a fazer o teste. Atendi três pessoas diferentes e tudo correu bem. No final, fiquei entre os cinco concorrentes selecionados. A filmagem do programa foi uma experiência inesquecível. Adorei trabalhar com pessoas da minha área, com talentos variados, muitos dos quais eu desconhecia. Todos os contatos me ensinaram algo sobre mim mesma.

A gravação do programa resultou em uma das muitas experiências casuais que me ajudaram a chegar aonde estou hoje. Pude perceber que em todas as profissões as pessoas de vez em quando discordam entre si sobre o jeito certo de fazer as coisas, mas que é assim mesmo. Aprendi a estabelecer meus limites pessoais em uma profissão da qual eu sabia muito pouco. Percebi o quanto me sinto solidária com os desconhecidos que me procuram em busca de conforto pela perda de seus entes queridos. E sobretudo de como me alegro por poder contribuir para a sua cura. Cada nova experiência é uma lição que me aproxima cada vez mais do que sempre fui – uma médium.

Sobre a autora

A história singular de ALLISON DUBOIS, que inspirou o seriado *Medium,* exibido nos Estatos Unidos pela NBC e no Brasil pelo canal Sony, começou em seu último semestre na Universidade Estadual do Arizona, durante o estágio na Promotoria. Logo após, os pesquisadores da Universidade do Arizona documentaram sua aptidão por meio de uma série de testes nos quais ela obteve notas excepcionalmente elevadas em precisão e especificidade. Essa legitimação convenceu Allison a se profissionalizar como médium e provedora de perfis, em vez de ser promotora.

Em sua breve carreira, Allison realizou 1.200 sessões particulares, nas quais ela ajuda a aliviar o sofrimento das pessoas que perderam um ente querido. Continua também a contribuir para a ciência na investigação sobre a existência da vida após a morte. Nos últimos quatro anos, participou de vários testes na Universidade do Arizona. Allison é uma integrante ativa da direção e execução de pesquisas da Comissão de Médiuns para o Programa de Pesquisas Veritas, além de participar do Quadro de Conselho de Médiuns para a Fundação da Família Eterna.

Allison dedica seu tempo a casos de pessoas desaparecidas e assassinadas, além de outros crimes, junto a instituições em todo o país. Também presta assistência à seleção do júri para a Promotoria. Essas atividades são o meio que encontrou para retribuir ao mundo a bênção recebida.

Ela mantém vínculos fortes com o seriado *Medium,* como consultora.

Agradecimentos

Joe: Foi você quem me deu a mão quando tive de enfrentar todos os solavancos noturnos. Minha adoração por você é eterna. Obrigada por me compreender.

Minhas filhas: Vocês me ajudaram a entender por que os pais não conseguem abandonar os filhos quando eles se vão. Vou estar sempre com vocês.

Mamãe: Obrigada por minhas melhores recordações da infância. Eu te amo.

Papai: Eu te amo. Obrigada por me ensinar a rir diante das adversidades.

Vô Joe: Embora o senhor já se encontre no outro lado, estaremos sempre conectados. O senhor é um dos homens que mais admirei na vida.

Tio Joe e Tia Linda: Obrigada por me fazerem sentir parte da vida de vocês.

Vó Jenee: Obrigada por se envolver com meu dom e contribuir para fazer de mim quem sou. Eu te amo.

Mary Frances: Você me consola. Obrigada por dotar minha vida de graça.

Jim: Obrigada por ficar em nossa casa e por sua orientação.

STACEY: Obrigada por sua amizade e pelas muitas vezes em que me fez rir. Quando me senti perdida, você me deu força. Você significa família para mim.

CHRISTINA: Você é ímpar e minha amiga eterna. Obrigada por me conhecer como "Allison" e por todos os momentos divertidos que tivemos juntas.

CHRISTY ORDERS, MINHA AMIGA QUE ME AJUDOU A ESCREVER ESTE LIVRO: Você me fez ver que não prestei atenção às aulas de inglês na faculdade. Sua contribuição é incomensurável. Obrigada! Você é uma mulher excepcional.

TREVOR: Já te amava mesmo antes de você nascer.

DR. GARY SCHWARTZ: Você é um homem excepcionalmente inteligente que tem a coragem de ser pioneiro em seu campo. Admiro sua visão. Obrigada por me acompanhar em minha jornada.

KELSEY: Nunca conheci um ser humano com tal presença. Você me deixou assombrada simplesmente por ficar do meu lado. Você é um homem extraordinário, com dons maravilhosos.

SUSY: Você é uma professora incrível. Fique sempre ao meu lado.

PEQUENO MICHAEL: Lembre-se de que será sempre parte de nós. Eu te amo!

MEU IRMÃO MICHAEL: Você é tudo para mim.

SHARI: Você ajudou na minha formação. Obrigada. Saúde!

DOMINI: Tenho saudades de você. Não esqueça de me visitar com freqüência.

LAURIE CAMPBELL: A médium que os outros médiuns consultam. Obrigada por derrubar a barreira entre nós e sermos amigas. Seu pai tem muito orgulho!

CHARLIE E SUSIE SHAUGHNESSY: Obrigada por todas as palavras sábias. Vocês dois são muito especiais. Se algum dia eu puder lhes ajudar, é só chamar.

JERRY CONSER: Não só você me ajudou a escrever este livro como também foi a única pessoa que acreditou que havia algo de diferente em mim quando criança. Você é um homem especial, obrigada.

GLENN GORDON CARON: Ninguém é melhor que você. Resumir seu talento em uma única palavra seria impossível. Você é bom demais. Nunca serei capaz de lhe agradecer por me cativar.

GARY HART: Obrigada por se lembrar de mim. Vou sempre me lembrar de você.

PATRICIA: Você é um enigma! Obrigada por não desistir de ser quem de fato você é.

"CHEFE": Vou sempre admirar você. Um gênio jurídico e bonitão – como conseguiu isso?

PATTY: Você foi meu modelo de mulher. Você é uma das minhas melhores amigas. Obrigada por ser essa maravilha.

CONNIE: Você é a melhor, não se sinta menos do que isso. Obrigada por sua orientação.

DRA. JULIE BEISCHEL: Você é uma cientista extraordinária por ser tão destemida. Obrigada.

BERT SASS: Obrigada por me levar a sério.

JIM MANLEY: Continue a quebrar os telhados de vidro.

CRIANÇAS DESAPARECIDAS: Nunca vamos deixar de procurar por vocês... nunca.

MAGGIE, CAROL, SUSAN, SYLVIA, MADDY, RAMI, SUZY, BARB: Vocês todas são especiais.

GRAMMNET: Obrigada pelo esforço.

STEVE STARK: Minha admiração por você é um grão de areia.

CHRIS MAUL: Você vai se tornar o melhor no seu negócio.

JULIE MONDIMORE: Parabéns por seu bebê. Ele é abençoado por tê-la como mãe.

PARAMOUNT: Obrigada por serem os melhores!

JENNIFER SOLARI: O papai orgulha-se muito de sua menininha.

NBC: Vocês são a rede que eu mais almejava. Obrigada a todos por serem nota dez.

CATHRYN BOXBERGER: Você é uma mulher de muitas facetas. Obrigada por ser tão excepcional.

JEFF ZUCKER: Tenho a honra de conhecer o seu talento.

KEVIN RILEY: Obrigada por me valorizar e por ser um grande homem de visão.

CHRIS CONTI: Dirija com cuidado! Obrigada por me ver como sou. Você é um homem genial.

SIMON & SCHUSTER: Muitíssimo obrigada por toda a atenção.

NANCY HANCOCK: Além de ser uma mulher fenomenal, foi você quem me descobriu.

ELLEN SILBERMAN: Gênio! Obrigada por trabalhar a sua mágica.

Um agradecimento especial **a todos os que mencionei no livro**. Vocês me ajudaram a amadurecer.

MEUS GUIAS: Obrigada por nunca me guiarem por caminhos errados e por compartilharem o meu humor sarcástico.

CONHEÇA OUTROS IMPORTANTES
TÍTULOS DA EDITORA SEXTANTE

CAROL BOWMAN

O amor me trouxe de volta

Carol Bowman apresenta histórias fascinantes sobre um dos maiores milagres da vida: a possibilidade de os espíritos de nossos entes queridos voltarem a juntar-se a nós como um bebê renascido na família.

Os incríveis casos narrados pela autora mostram que esses fenômenos são freqüentes e que passar por eles pode ser uma experiência transformadora. Ao compreendermos isso, somos capazes de perdoar erros do passado, compreender melhor o presente e seguir adiante com a alma renovada.

Crianças e suas vidas passadas

Nesse livro, Carol Bowman relata sua experiência pessoal ao descobrir em traumas de vidas passadas a origem das inexplicáveis fobias de seu filho. Estimulada pela cura rápida e profunda, ela passou a estudar a capacidade infantil de ter lembranças de outras vidas.

Ela não só apresenta os fascinantes resultados de sua pesquisa sobre o assunto como também ensina os pais a lidar com a situação, ensinando-os a reconhecer esse fenômeno e, principalmente, a ajudar seus filhos.

Brian Weiss

Muitas vidas, uma só alma

Depois da experiência de levar seus pacientes a vidas passadas, o Dr. Brian Weiss descobriu que era possível viajar a vidas futuras e que isso amenizava os problemas emocionais do presente.

Com a terapia de progressão, ele já ajudou milhares de pessoas a transformar suas vidas, libertando-se de medos, traumas e preconceitos.

Só o amor é real

Em *Só o amor é real*, o Dr. Weiss revela que cada um de nós possui alguém que nos acompanha pela eternidade. Alguém que já tivemos a felicidade de reencontrar ou que está à nossa procura, porque fomos destinados, para sempre, um ao outro.

Narrando o inesperado encontro de duas almas gêmeas dentro de seu próprio consultório, o Dr. Weiss deixa uma mensagem terna e inspiradora, que nos coloca em sintonia com os milagres do amor e da existência.

James Van Praagh

O despertar da intuição

James Van Praagh nos leva a uma maravilhosa viagem pelos caminhos do outro lado da vida, desvendando seus mistérios e ensinando a captar os sinais que os espíritos nos enviam.

Com depoimentos comoventes de pessoas que foram visitadas por guias espirituais, o livro mostra que temos capacidade de compreender o outro mundo e de entrar em contato direto com ele. Para isso, basta abrir as portas do coração e da percepção para essa magnífica experiência. Você poderá desenvolver seus dons mediúnicos naturais e ter a oportunidade de viver mais plenamente.

Em busca da espiritualidade

Transmitindo a mensagem de que a morte não é o fim, de que nossos entes queridos já falecidos são parte de nossa vida e de que um dia voltaremos a nos encontrar, Van Praagh revela os mistérios do mundo espiritual e do processo de reencarnação.

Em busca da espiritualidade é um livro inspirador e poderoso que vai ajudar a nos transformarmos em seres espirituais, descobrindo em nosso interior a própria voz de Deus – uma voz que, percebida, transforma a vida em uma existência de força, alegria e amor.

Sylvia Browne

As bênçãos do outro lado

Nesse livro, a médium Sylvia Browne nos ajuda a descobrir o sentido de nossas vidas, ensinando-nos a usufruir da fonte de sabedoria que está do outro lado, e a encontrar respostas para nossas indagações, trazendo conforto nos momentos de sofrimento e facilitando nosso relacionamento com a família e os amigos.

Se pudermos alcançar os motivos da nossa jornada aqui na Terra e compreender o sentido de cada acontecimento e de cada pessoa em nossas vidas, conseguiremos experimentar a alegria, a paz e a iluminação espiritual que buscamos.

O outro lado da vida

A partir de sua incrível capacidade mediúnica, Sylvia Browne nos fala da vida após a morte, dos anjos e guias espirituais e da forma como podemos descobrir nossas vidas passadas.

Além de abordar temas ligados à saúde, família e relacionamentos e contar suas experiências pessoais, Sylvia nos ensina a identificar os "espíritos negros" e o que fazer para nos defendermos deles. Ao final de cada capítulo há uma meditação para nos ajudar a superar dificuldades e a construir uma vida repleta de alegria e paz.

CONHEÇA OS 30 CLÁSSICOS
DA EDITORA SEXTANTE

O Código Da Vinci, *Anjos e Demônios* e *Fortaleza Digital*, de Dan Brown

Pais brilhantes, professores fascinantes, *Nunca desista de seus sonhos* e *Você é insubstituível*, de Augusto Cury

O monge e o executivo, de James C. Hunter

Um dia "daqueles", *O sentido da vida* e *Querida mamãe, obrigado por tudo*, de Bradley Trevor Greive

Por que os homens fazem sexo e as mulheres fazem amor?, de Allan e Barbara Pease

Os 100 segredos das pessoas felizes e *Os 100 segredos das pessoas de sucesso*, de David Niven

Enquanto o amor não vem, de Iyanla Vanzant

A última grande lição e *As cinco pessoas que você encontra no céu*, de Mitch Albom

A Dieta de South Beach, de Arthur Agatston

O ócio criativo, de Domenico De Masi

Não leve a vida tão a sério, de Hugh Prather

O Poder do Agora, de Eckhart Tolle

A vida é bela, de Dominique Glocheux

Palavras de sabedoria e *O caminho da tranqüilidade*, de Sua Santidade, o Dalai-Lama

Muitas vidas, muitos mestres e *Só o amor é real*, de Brian Weiss

Histórias para aquecer o coração, de Jack Canfield e Mark V. Hansen

Conversando com os espíritos, de James Van Praagh

Aprendendo a gostar de si mesmo, de Louise Hay

Mantenha o seu cérebro vivo, de Lawrence Katz e Manning Rubin

Aprendendo a silenciar a mente, de Osho

INFORMAÇÕES SOBRE OS
PRÓXIMOS LANÇAMENTOS

Para receber informações sobre os lançamentos da Editora Sextante, basta enviar um e-mail para atendimento@esextante.com.br ou cadastrar-se diretamente no site www.sextante.com.br

Para saber mais sobre nossos títulos e autores, e enviar seus comentários sobre este livro, visite o nosso site: www.sextante.com.br

Editora Sextante
Rua Voluntários da Pátria, 45 / 1.404 – Botafogo
Rio de Janeiro – RJ – 22270-000 – Brasil
Telefone: (21) 2286-9944 – Fax: (21) 2286-9244
E-mail: atendimento@esextante.com.br